SERVEI DE LLENGUA CATALANA

GUIA DE CONVERSA MÈDICA
català-anglès-castellà

Catalan-English-Spanish
MEDICAL CONVERSATION GUIDE

GUÍA DE CONVERSACIÓN MÉDICA
catalán-inglés-castellano

Antoni Valero Cabré

© **Antoni Valero Cabré**
© **Servei de Llengua Catalana**
    Universitat de Barcelona

Secretaria tècnica:
Conxa Planas

Àrea de formació lingüística:
Joan Ramon Berengueras
Jaume Palau

Primera edició:
juliol de 1997

Disseny:
Maria Darós

Producció:
Publicacions de la Universitat de Barcelona

ISBN: 84-475-1778-0

DL: B-36167-97

Entre nosaltres humans,
els mots són només per a entendre'ns i no per a entendre'ls...

Setena Elegia de Bierville
Carles Riba

Per al metge i per a qualsevol sanitari, un dels conceptes més transcendents —per no dir el fonamental— és donar prioritat al malalt sobre la malaltia, de la mateixa manera que és important donar prioritat a la informació sobre la medicació. És evident que el que ha de constituir el veritable centre d'interès de la medicina no és tant la "malaltia-problema tècnic", sinó el "malalt-problema humà". I aquest aspecte és precisament el que fa que el metge d'atenció primària —i també l'especialista— adquireixi una importància bàsica i central per a una atenció correcta i profitosa al pacient. Aquest concepte s'estén, igualment, a qualsevol professional sanitari que tingui relació directa amb el malalt.

Per tant, és fonamental el diàleg, la comunicació entre professional i pacient, a fi que la relació entre ells sigui com més planera millor. Però avui dia és cada vegada més freqüent que a la relació metge-pacient s'afegeixi la dificultat de parlar diferents idiomes. El turisme, els estudis, les xarxes comercials o industrials, el comerç o el treball, entre d'altres causes, provoquen migracions, canvis de domicili i viatges a països de parla diferent, sigui per a una estada temporal o bé permanent.

Dintre del nostre àmbit geogràfic, aquest intercanvi de persones és molt intens. La Unió Europea amb l'obertura de fronteres, la proximitat dels països, la rapidesa de les comunicacions i la facilitat de trasllat, afavoreixen aquests canvis de residència o les estades temporals en països de parla diferent. Aquest trànsit de persones de diferents llengües és una dificultat més que es presenta als professionals sanitaris per obtenir una bona relació amb el pacient que va al centre d'atenció primària o a l'hospital cercant solucions al seu problema de salut.

Els països de parla catalana, Catalunya, el País Valencià, —principalment la riba mediterrània— i les Illes Balears, són tradicionalment focus de turisme internacional. La responsabilitat d'afrontar aquest problema de comunicació recau sobre els professionals de la medicina i de la sanitat.

La publicació de la *Guia de conversa mèdica* editada per la Universitat de Barcelona pot contribuir a resoldre aquest problema en una societat com la dels països en què la immigració i el turisme provoquen fenòmens de bilingüisme i multilingüisme.

Aquesta guia, l'autor de la qual és Antoni Valero Cabré, vol ser un manual útil per a l'assistència mèdica, que proporcioni al metge, al professional sanitari i també als estudiants de medicina, la conversa bàsica de l'acte mèdic, amb les correspondèn-cies entre el català, l'anglès i el castellà. Sigui benvinguda, amb la seguretat que serà de gran utilitat.

Joaquim Ramis i Coris
President de l'Acadèmia de Ciències Mèdiques de Catalunya i de Balears

Among us human beings,
words are only to understand each other, not to understand them...

Seventh Elegy of Bierville
Carles Riba

One of the most transcendent —let alone fundamental— concepts for any doctor or health officer is that patient is prior to illness, as well as information is prior to medication. It is obvious the real core of medicine is not "illness-as-a-technical-problem" but "patient-as-a-human-problem".

This aspect is precisely the reason why general practitioners —as well as specialists— are basic to give patients proper and fruitful attention. And it can also be equally applied to every health officer who deals with patients. Thus dialog between a professional and a patient is basic to make their relationship as easy as possible.

However, now there is another problem involving doctor-patient's relationship: the use of different languages due to tourism, studies, commercial or industrial networks, trade and business which, among other causes, generate immigration, home moving and going abroad temporarily or permanently.

This flow of people is very intense in our geographical area. The European Union, with its barriers banished, countries being more connected, quick and easy communications, supports this temporary moving or going abroad. The flow of all these people speaking differently entails a considerable effect on health professionals who want to have a good relationship with patients seeking for solutions to their health problems at hospitals or National health clinics.

Above all, the catalan language area —Catalonia, Valencia, the Mediterranean coast and Balearic Islands— are tipically tourism centres. Consequently, health and medical professionals are responsible for facing this communication problem.

This *Medical Conversation Guide* published by Barcelona University can contribute to solve this problem in a society where immigration and tourism create bilingual and multilingual phenomena. This guide written by Antoni Valero Cabré aims to be a useful reference book on medical assistance. Its purposes are to provide doctors, health officers and medical students also with the basic tools for medical conversation in English, Spanish and Catalan. I appreciate this work, because I surely know it will be very useful.

Joaquim Ramis i Coris
President of the Catalan and Balearic Medical Sciences Academy

Entre nosotros humanos,
las palabras son sólo para entendernos y no para entenderlas...

Séptima Elegía de Bierville
Carles Riba

Para el médico y para cualquier sanitario, uno de los conceptos más trascendentes —quizás el fundamental— es dar prioridad al enfermo sobre la enfermedad, de la misma forma que es importante dar prioridad a la información sobre la medicación. Es evidente que el verdadero centro de interés de la medicina no es tanto la "enfermedad-problema técnico", sino el "enfermo-problema humano". Y este aspecto es precisamente el que hace que el médico de atención primaria —y también el especialista— adquiera una importancia básica y central para una atención correcta y provechosa al paciente. Este concepto se extiende, igualmente, a cualquier profesional sanitario que tenga relación directa con el enfermo.

Por lo tanto, es fundamental el diálogo, la comunicación entre el profesional y el paciente, a fin de que la relación entre ellos sea lo más fácil posible. Pero hoy en día es cada vez más frecuente que a la relación médico-paciente se le añada la dificultad de hablar distintos idiomas. El turismo, los estudios, las redes comerciales o industriales, el comercio o el trabajo, entre otras causas, provocan migraciones, cambios de domicilio y viajes a países de habla diferente, sea para una estancia temporal o permanente.

Dentro de nuestro ámbito geográfico, este intercambio de personas es muy intenso. La Unión Europea con la apertura de fronteras, la proximidad de los países, la rapidez de las comunicaciones y la facilidad de traslado, favorecen estos cambios de residencia o las estancias temporales en países de distinta habla. Este tránsito de personas de diferentes lenguas es una dificultad más que se presenta a los profesionales sanitarios para obtener una buena relación con el paciente que acude al centro de atención primaria o al hospital en busca de soluciones a su problema de salud. Los países de habla catalana, Cataluña, País Valenciano —principalmente el litoral mediterráneo— y las Islas Baleares, son tradicionalmente focos de turismo internacional. La responsabilidad de afrontar este problema de comunicación recae en los profesionales de la medicina y de la sanidad.

La publicación de la *Guía de conversación médica* editada por la Universidad de Barcelona puede contribuir a resolver este problema en una sociedad como la de los países donde la inmigración y el turismo provocan fenómenos de bilingüismo y multilingüismo. Esta guía, cuyo autor es Antoni Valero Cabré, quiere ser un manual útil para la asistencia médica, que proporcione al médico, al profesional sanitario y también a los estudiantes de medicina, la conversación básica del acto médico, con las correspondencias entre el catalán, el inglés y el castellano. Sea bienvenida, con la seguridad de que será de gran utilidad.

Joaquim Ramis i Coris
Presidente de la Academia de Ciencias Médicas de Cataluña y de Baleares

Introducció

L'ensenyament i la pràctica de la medicina es desenvolupen actualment en un context que ultrapassa de manera clara l'escenari local, regional i nacional. Una activitat ja fortament arrelada entre els professionals d'aquest camp, com és la de desenvolupar períodes de formació o exercici en un altre país, ha experimentat en els darrers anys un procés de generalització, de manera que ara són també molts els estudiants de ciències de la salut i els metges residents en fase d'especialització els que fan estades de formació a l'estranger.

Moltes raons expliquen aquest procés d'obertura: la integració del país a les estructures comunitàries europees, l'establiment de programes estatals de cooperació, el desenvolupament de les universitats i l'establiment de relacions actives de les universitats amb centres homòlegs europeus i extracontinentals; en resum, l'assumpció d'una nova filosofia nacional de formació i treball on la cooperació i l'intercanvi d'experiències amb països veïns i no tan veïns esdevenen indispensables.

D'altra banda, el desplaçament temporal o permanent d'importants masses de població per raons de turisme, comerç, treball o educació ja ha produït i produirà de manera creixent transformacions en tots els nivells dels dominis lingüístics tradicionals. Sense oblidar l'enriquiment que suposa la convivència temporal o permanent en un mateix territori de grups humans amb cultures i llengües diferents, no podem ignorar que aquests fenòmens de multilingüisme afegeixen al camp de la medicina i a la relació metge/malalt tradicional una complexitat que el professional de les ciències de la salut haurà d'afrontar diàriament. Davant d'aquest context canviant cal dotar el futur professional d'instruments que el puguin ajudar a adaptar-se amb èxit als nous fenòmens que afectin la comunicació entre metge i pacient. En aquest sentit, la guia que avui presentem pretén constituir un primer pas cap a aquest objectiu.

Aquesta guia de conversa sorgeix d'una sèrie de textos pedagògics elaborats per a un curs de castellà i català mèdics organitzat el juliol de 1995 per estudiants de la Facultat de Medicina de la Universitat Autònoma de Barcelona a l'Hospital Germans Trias i Pujol de Badalona. Aquells materials, esmenats i ampliats i finalment convertits en aquesta *Guia de conversa mèdica català-anglès-castellà,* constitueixen un extens recull de fraseologia i terminologia mèdiques del camp de la medicina general, i pretenen esdevenir una eina útil per al desenvolupament d'històries clíniques, exploracions físiques i presentacions de casos clínics, així com resoldre problemes d'equivalències, comprensió i traducció d'expressions que es puguin presentar en un context clínic entre aquestes tres llengües.

Amb aquesta intenció, l'hem estructurat de la manera més lògica i senzilla possible. Primerament, presentem la fraseologia necessària per a la realització d'una bona història clínica. En segon lloc, introduïm qüestions relatives al desenvolupament de l'exploració física del pacient. Després, centrem tota l'atenció en maneres d'exposar la informació obtinguda a d'altres estudiants o professionals de la salut, en allò que anomenem la presentació del cas clínic. Com a quart punt, incloem un petit diccionari de termes mèdics i un vocabulari general que seran d'utilitat per a l'elaboració de noves frases en un context mèdic. I, en cinquè i darrer lloc, però no per això menys important, tanquem aquesta *Guia de conversa mèdica* amb una recopilació de representacions anatòmiques dels diferents aparells i sistemes del cos humà.

Cada punt ha estat subdividit en diferents seccions segons l'aparell o el sistema corporal analitzat, i en tot moment s'ha procurat ordenar les paraules, les qüestions i les expressions dins de la guia i de cadascuna de les seccions segons la seqüència lògica de desenvolupament de la història i l'exploració clíniques. Cada pàgina ha estat subdividida en tres columnes de text. La columna de més a l'esquerra conté les expressions en català, mentre que en la columna central i en la de més a la dreta trobarem els equivalents fraseològics en anglès i castellà respectivament. D'aquesta manera, i tenint en compte l'ordre seqüencial de la història clínica habitual i la disposició paral·lela de la informació, es pot accedir a la informació des de qualsevol de les llengües esmentades i trobar amb gran facilitat les equivalències corresponents.

Una de les aportacions originals d'aquest treball en relació amb els models clàssics de diccionaris de llenguatge d'especialitat en medicina, és que no es tracta d'una eina centrada en el tractament de la paraula i la terminologia mèdiques. Els reculls de termes i de les seves equivalències en diferents llengües són eines massa feixugues, és difícil accedir a la informació i desaprofiten la gran uniformitat del material lingüístic en el camp de la comunicació mèdica. D'acord amb això, hem volgut articular aquesta guia de conversa a l'entorn d'una unitat lingüística molt més complexa per la seva varietat però al mateix temps molt més eficaç per a la comunicació: la frase i la fraseologia mèdica.

La seqüència de desenvolupament d'una entrevista clínica presenta un grau d'extremada estandardització en la gran majoria de centres hospitalaris nacionals i estrangers gràcies al fil conductor que constitueix la mateixa seqüència lògica de l'interrogatori mèdic. Aquesta uniformitat en el desenvolupament, els tipus de qüestions, les parts i l'organització de la informació així presentades en aquesta guia de conversa, faciliten la cerca de les expressions desitjades en un moment donat i fan operatius l'accés i l'ús de la informació.

S'ha tingut una cura especial a escollir les expressions més correctes des d'un punt de vista gramatical i semàntic, així com a adequar-les sempre a la comprensió dels pacients. Esperem que, en aquest sentit, aquesta *Guia de conversa mèdica català-anglès-castellà* no sigui només una eina de butxaca destinada a resoldre problemes concrets del treball assistencial diari, sinó que pugui esdevenir al mateix temps una bona base per a la millora de la qualitat comunicativa entre els pacients i els metges presents i futurs.

No voldria cloure aquesta introducció sense fer palès el meu agraïment a tots aquells que han col·laborat en l'empresa de publicar aquesta guia. En primer lloc i de manera molt especial a la Roser Saurí, que amb "traïdoria i nocturnitat" va corregir les primeres versions d'aquest treball. També als professors de la Facultat de Medicina de la Universitat Autònoma de Barcelona, José Ramón Sañudo, Àlvar Martínez i Xavier Navarro pels seus consells i recomanacions. Finalment, moltes gràcies també a Conxa Planas, a Jaume Palau, a Joan Ramon Berengueras i a tots els membres del Servei de Llengua Catalana de la Universitat de Barcelona sense l'empenta dels quals ben segur que el document original d'aquest treball dormiria encara en algun directori oblidat del disc dur del meu ordinador.

Antoni Valero Cabré

Introduction

Teaching and practising medicine are developed in a context which clearly surpasses local, regional or national sceneries nowadays. Staging in foreign countries is a deeply rooted activity among professionals. However, this has lately become a generalised process, so now many people studying Health Sciences or specialising in any of medical branches are those who are staging abroad.

There are many reasons for this opening process: the integration of our country in european structures, the creation of many national programmes on cooperation, the development of universities and their enhanced relationship with european and non-continental centres alike. To sum up, there has been an assumption of a new national philosophy on training and working where cooperation and exchange of experiences among countries has become necessary.

On the other hand, temporary or permanent flowing of important population masses due to leisure, trade, work or education have already shaped new changes in all the traditional linguistic domains —and will constantly do. Apart from the enrichment produced by every kind of permanent or temporary coexistence among different people with different languages and different cultures living in the same place, we can not avoid the fact that these multilinguistic events become a new difficulty for those professionals in medicine having to deal with patients daily. Given this ever changing context, it is very important to help the future professional with some tools so as he or she can master communicative skills effectively. This is the only way to adapt oneself to any situation succesfully.

In this sense, the guide we are now presenting wants to take the first steps towards this goal. Its origin is a collection of pedagogical texts meant to be the main material for a Catalan-Spanish language course on medicine organized by medical students from the Universitat Autònoma de Barcelona. This course took place in Germans Trias i Pujol Hospital in Badalona in July 1995. All those materials revised and enlarged have finally become this *Catalan-English-Spanish Medical Conversation Guide*. They contain many examples of phraseology and medical terminology on general medicine, being its aim to constitute a useful tool for the writing of medical records, checkings and presenting clinical cases. Moreover, it can also solve any translation and comprehension problems that may arise in a clinical context in these three languages.

Being this our main objective, we have structured the guide in the most logical and simplest possible way. First, we present the necesssary phraseology in order to write a good medical record. Secondly, we introduce some questions related to patient physical checking. Thirdly, we focus on different ways to present other students or professionals a clinical case. Fourthly, we are also including a brief dictionary of medical terms and a general vocabulary which can be very useful to make sentences in this particular context. And fifthly, last but not least, we finish this *Medical Conversation Guide* with a collection of all the human body system anatomical designs.

Each of this five sections has been divided following the different human body systems analized. We have tried to put words, questions and expressions in order when possible, as they appear in records and checkings. Each page has been divided into three text columns. The column on the left-hand side is for Catalan expressions and those in the middle and on the right-hand side are for English and Spanish. This is the way to get all the information from any of the above mentioned languages and find their corresponding equivalences easily, as we are also taking into account the habitual order in any medical record and are displaying the information parally.

One of the most original points in this guide when compared with the classical specialized dictionaries in medicine is that this is not a tool focused on words and medical terminology. Synopsis of medical terms and their equivalences in different languages are usually very heavy, complicated so as to find information, and do not take advantage of the great linguistic material uniformity in the medical communication field. According to this, it has been our wish to focus this conversation guide on a linguistic unity far more complex because of its variety but, at the same time, much more effective for communication: the sentence and the medical phraseology.

The making of a clinical interview takes an excessive standardization level at the most part of national and foreign medical centres due to the thread of the story, which constitutes the very logical sequence of the medical interview. Uniformity in the making, the kind of questions, the parts and organization of the information implemented in this conversation guide, all this makes the search for the adequate expression easy at any moment. It also makes access to information and information usage far more operative.

It has been our particular interest to choose the best expressions from a grammatical and semantical point of view to make them comprehensible for patients. In this sense, it is our wish that this *Catalan-English-Spanish Medical Conversation Guide* will be not only a handy tool devoted to solve particular problems related to the medical day-to-day work, but also a good basis for the improvement of communication between present and future patients and doctors at the same time.

Before finishing this introduction I would like to emphasize my gratitude to those who have collaborated in the publication of this guide. First and foremost to Roser Saurí, who corrected the first versions of this work in a "premeditative and nocturnal" mood. I would also like to thank Professors José Ramón Sañudo, Àlvar Martínez and Xavier Navarro from the Medicine School of the Universitat Autònoma de Barcelona for their advice and recommendations. Last but not least, I am grateful to Conxa Planas, Jaume Palau, Joan Ramon Berengueras and the rest of the staff from the Catalan Language Service of the Universitat de Barcelona, too. They have supported this project so efficiently that should not be by their effort, the original manuscript of this guide would still remain forgotten in any of my computer hard disk directories.

Antoni Valero Cabré

Introducción

La enseñanza y la práctica de la medicina se desarrollan actualmente en un contexto que ultrapasa de manera clara el escenario local, regional y nacional. Una actividad ya fuertemente arraigada entre los profesionales de este campo como es la de desarrollar períodos de formación o ejercicio en otro país, ha experimentado en los últimos años un proceso de generalización, de manera que son también ahora muchos los estudiantes de ciencias de la salud y los médicos residentes en fase de especialización los que hacen permanencias de formación en el extranjero.

Muchas razones explican este proceso de apertura: la integración del país a las estructuras comunitarias europeas, el establecimiento de programas estatales de cooperación, el desarrollo de las universidades y el establecimiento de relaciones activas de éstas con centros homólogos europeos y extracontinentales; en resumen, la asunción de una nueva filosofía nacional de formación y trabajo donde la cooperación y el intercambio de experiencias con países vecinos y no tan vecinos resultan indispensables.

Por otro lado, el desplazamiento temporal o permanente de importantes masas de población por razones de turismo, comercio, trabajo o educación ya ha producido y producirá de manera creciente transformaciones en todos los niveles de los dominios lingüísticos tradicionales. Sin olvidar el enriquecimiento que supone la convivencia temporal o permanente en un mismo territorio de grupos humanos con culturas y lenguas diferentes, no podemos ignorar que estos fenómenos de multilingüismo añaden al campo de la medicina y a la relación médico/enfermo tradicional una complejidad que el profesional de las ciencias de la salud deberá afrontar diariamente. Ante este cambiante contexto es preciso dotar al futuro profesional de instrumentos que le puedan ayudar a adaptarse con éxito a los nuevos fenómenos que afecten a la comunicación entre médico y paciente. En este sentido, la guía que hoy presentamos pretende constituir un primer paso hacia este objetivo.

Esta guía de conversación surge de una serie de textos pedagógicos elaborados para un curso de castellano y catalán médicos organizado en julio de 1995 por estudiantes de la Facultad de Medicina de la Universidad Autónoma de Barcelona en el Hospital Germans Trias y Pujol de Badalona. Aquellos materiales, enmendados y ampliados y finalmente convertidos en esta *Guía de conversación médica catalán-inglés-castellano*, constituyen una extensa recopilación de fraseología y terminología médicas del campo de la medicina general, y pretenden llegar a ser una herramienta útil para el desarrollo de historias clínicas, exploraciones físicas y presentaciones de casos clínicos, así como solventar problemas de equivalencias, comprensión y traducción de expresiones que se puedan presentar en un contexto clínico entre estas tres lenguas.

Con esta intención, la hemos estructurado de la manera más lógica y sencilla posible. Primero, presentamos la fraseología necesaria para la realización de una buena historia clínica. En segundo lugar, introducimos cuestiones relativas al desarrollo de la exploración física del paciente. Después, centramos toda la atención en maneras de exponer la información obtenida a otros estudiantes o profesionales de la salud, en aquello que llamamos la presentación del caso clínico. Como cuarto punto, incluimos un pequeño diccionario de términos médicos y un vocabulario general que serán de utilidad para la elaboración en un contexto médico de nuevas frases. Y, en quinto y último lugar, pero no por eso menos importante, cerramos esta *Guía de conversación médica* con una recopilación de representaciones anatómicas de los diferentes aparatos y sistemas del cuerpo humano.

Cada punto ha sido subdividido en diferentes secciones según el aparato o el sistema corporal analizado, y en todo momento se ha procurado ordenar las palabras, las cuestiones y las expresiones dentro de la guía y de cada una de las secciones según la secuencia lógica de desarrollo de la historia y la exploración clínicas. Cada página ha sido subdividida en tres columnas de texto. La columna más a la izquierda contiene las expresiones en catalán, mientras que en la columna central y en la de más a la derecha encontraremos los equivalentes fraseológicos en inglés y castellano respectivamente. De esta manera, y teniendo en cuenta el orden secuencial de la historia clínica habitual y la disposición paralela de la información, se puede acceder a la información desde cualquiera de las lenguas mencionadas y encontrar con gran facilidad las equivalencias correspondientes.

Una de las aportaciones originales de este trabajo en relación con los modelos clásicos de diccionarios de lenguaje de especialidad en medicina, es que no se trata de una herramienta centrada en el tratamiento de la palabra y la terminología médicas. Las recopilaciones de términos y de sus equivalencias en diferentes lenguas son herramientas demasiado pesadas, de difícil acceso a la información y que desaprovechan en el campo de la comunicación médica la gran uniformidad del material lingüístico. De acuerdo con esto, hemos querido articular esta guía de conversación en el entorno de una unidad lingüística mucho más compleja por su variedad pero al mismo tiempo mucho más eficaz para la comunicación: la frase y la fraseología médica.

La secuencia de desarrollo de una entrevista clínica presenta un grado de extremada estandarización en la gran mayoría de centros hospitalarios nacionales y extranjeros gracias al hilo conductor que constituye la misma secuencia lógica del interrogatorio médico. Esta uniformidad en el desarrollo, los tipos de cuestiones, las partes y la organización de la información así implementadas en esta guía de conversación, facilitan la búsqueda de las expresiones deseadas en un momento dado, operativizando el acceso y el uso de la información.

Se ha tenido un cuidado especial en escoger las expresiones más correctas desde un punto de vista gramatical y semántico, así como en adecuarlas siempre a la comprensión de los pacientes. Esperemos que, en este sentido, esta *Guía de conversación médica catalán-inglés-castellano* no sea únicamente una herramienta de bolsillo destinada a solventar problemas concretos del trabajo asistencial diario, sino que pueda llegar a ser al mismo tiempo una buena base para la mejora de la calidad comunicativa entre los pacientes y los médicos presentes y futuros.

No quisiera concluir esta introducción sin poner de manifiesto mi agredecimiento a todos los que han colaborado en la empresa de publicar esta guía. En primer lugar y de manera muy especial a Roser Saurí, que "con alevosía y nocturnidad" corrigió las primeras versiones de este trabajo. También a los profesores de la Facultad de Medicina de la Universidad Autónoma de Barcelona José Ramón Sañudo, Àlvar Martínez y Xavier Navarro por sus consejos y recomendaciones. Finalmente, muchas gracias también a Conxa Planas, Jaume Palau, Joan Ramon Berengueras y todos los miembros del Servicio de Lengua Catalana de la Universidad de Barcelona sin cuyo empeño seguro que el documento original de este trabajo todavía dormiría en algún directorio olvidado del disco duro de mi ordenador.

Antoni Valero Cabré

ÍNDEX

SUMMARY

ÍNDICE

LA HISTÒRIA CLÍNICA
TAKING A MEDICAL HISTORY
LA HISTORIA CLÍNICA

1.

SALUTACIONS I GENERALITATS	COURTESY FORMS AND GENERAL TERMS	SALUDOS Y GENERALIDADES
Bon dia	Good morning	Buenos días
Bona tarda	Good afternoon	Buenas tardes
Bona nit	Good evening	Buenas noches
Adéu	Good bye	Adiós
En què el puc ajudar?	What can I do for you?	¿Qué puedo hacer por usted?
D'on és, vostè?	Where do you come from?	¿De qué país es usted?
Entén..........?	Do you understand..........?	¿Comprende usted..........?
l'alemany	German	el alemán
l'anglès	English	el inglés
l'àrab	Arabic	el árabe
el castellà	Spanish	el castellano
el català	Catalan	el catalán
el danès	Danish	el danés
el finlandès	Finnish	el finlandés
el francès	French	el francés
el grec	Greek	el griego
l'italià	Italian	el italiano
el neerlandès	Dutch	el neerlandés
el noruec	Norwegian	el noruego
el portuguès	Portuguese	el portugués
el rus	Russian	el ruso
el suec	Swedish	el sueco
el turc	Turkish	el turco
Parla..........?	Do you speak..........?	¿Habla usted..........?
el català	Catalan	el catalán
l'anglès	English	el inglés
el castellà	Spanish	el castellano
És vostè..........?	Are you..........?	¿Es usted..........?
alemany/a	German	alemán/ana
anglès/esa	English	inglés/esa
àrab	Arabic	árabe
català/ana	Catalan	catalán/ana
danès/esa	Danish	danés/esa
espanyol/a	Spanish	español/la
finlandès/esa	Finnish	finlandés/esa
francès/esa	French	francés/esa
grec / grega	Greek	griego/ga
holandès/esa	Dutch	holandés/esa
irlandès/esa	Irish	irlandés/esa

Català	English	Español
italià/ana	Italian	italiano/na
noruec/ega	Norwegian	noruego/ga
portuguès/esa	Portuguese	portugués/esa
rus / russa	Russian	ruso/sa
suec/a	Swedish	sueco/ca
turc/a	Turkish	turco/ca
Perdoni'm	Excuse me	Discúlpeme
Si us plau	Please	Por favor
Que m'entén?	Do you understand me?	¿Me comprende usted?
L'entenc	I understand	Le entiendo
No l'he entès	I didn't understand you	No le he entendido
Gràcies	Thank you	Gracias
Moltes gràcies	Thank you very much	Muchas gracias
Podria repetir-m'ho lentament, si us plau?	Would you mind repeating that slowly?	¿Podría repetírmelo lentamente, por favor?
Podria lletrejar-m'ho, si us plau?	How do you spell it?	¿Podría deletreármelo, por favor?
Segui, si us plau	Sit down here, please	Siéntese aquí, por favor
Vagi a la sala d'espera, si us plau	Please, go to the waiting room	Vaya a la sala de espera, por favor
Li faria res esperar-se fora un moment?	Would you mind waiting outside for a while?	¿Le importaría esperar fuera un momento?
M'agradaria fer-li unes preguntes per saber què li passa	I'd like to ask you a few questions to find out what's wrong	Me gustaría hacerle unas preguntas para saber qué le ocurre
Molt bé	Very good	Muy bien
No gaire bé	Not very good	No muy bien
Malament	Bad	Mal
Sí / No	Yes / No	Sí / No
Potser	Perhaps	Quizás
Senyor / Senyora / Senyoreta	Mister / Mrs. (Missis) / Miss	Señor / Señora / Señorita

2.

DADES PERSONALS	PERSONAL DATA	DATOS PERSONALES
[Cognom / Nom] Com es diu?	[Name / First name] What is your name?	[Apellido / Nombre] Cómo se llama?
[Data de naixement] Quan va néixer?	[Date of birth] When were you born?	[Fecha de nacimiento] ¿Cuándo nació usted?
[Lloc de naixement] On va néixer?	[Place of birth] Where were you born?	[Lugar de nacimiento] ¿Dónde nació?
[Edat] Quants anys té?	[Age] How old are you?	[Edad] ¿Cuántos años tiene?
[Adreça] On viu?	[Address] Where do you live?	[Dirección] ¿Dónde vive usted?
[Telèfon] Quin és el seu número de telèfon?	[Phone] What is your telephone number?	[Teléfono] ¿Cuál es su número de teléfono?

[Estat civil] És..........?
    solter/a
    casat/ada
    divorciat/ada
    vidu / vídua
	[Marital status] Are you...?
	    single
	    married
	    divorced
	    vidow
		[Estado civil] ¿Es usted......?
		    soltero/ra
		    casado/da
		    divorciado/da
		    viudo/da

Quants fills té?	How many children do you have?	¿Cuántos hijos tiene usted?
[Professió] De què treballa?	[Occupation] What do you do?	[Profesión] ¿De qué trabaja usted?
Quina assegurança mèdica té?	Can you tell me the name of your sickness insurance fund?	¿Qué seguro de enfermedad tiene?
Quina és la seva assegurança d'accidents?	Can you tell me the name of your accident insurance?	¿Qué seguro de accidentes tiene?
Quant temps fa que viu aquí?	How long have you been living here?	¿Cuánto tiempo hace que vive aquí?
Com es diu el seu metge de capçalera?	What is the name of your family doctor?	¿Cómo se llama su médico de cabecera?
[Signatura] Signi aquí, si us plau	[Signature] Sign here, please	[Firma] Firme aquí, por favor

3.

ANTECEDENTS FAMILIARS	FAMILY HISTORY	ANTECEDENTES FAMILIARES
Encara viu, el seu pare / la seva mare?	Is your father / mother alive?	¿Aún vive su padre / madre?
Quants anys té el seu pare / la seva mare?	How old is your mother / father?	¿Cuántos años tiene su madre / padre?
Quants anys tenia el seu pare / la seva mare quan va morir?	How old was your father / mother when he / she died?	¿A qué edad murió su padre / madre?
De quina malaltia va morir el seu pare / la seva mare?	What was the cause of your father's / mother's death?	¿De qué enfermedad murió su padre / madre?
Quants germans té?	How many brothers and sisters do you have?	¿Cuántos hermanos tiene?
Són tots vius?	Are they all still alive?	¿Viven todos?
Estan tots sans?	Do they all enjoy good health?	¿Están todos sanos?
Tenen alguna malaltia?	Do they have any illnesses?	¿Tienen alguna enfermedad?
Hi ha cap malaltia que sigui freqüent a la seva família?	Do you know of any illnesses that run in your family?	¿Hay alguna enfermedad frecuente en su familia?
Hi ha cap cas de..........?	Do you know about cases of..........?	¿Hay algún caso de..........?
càncer	cancer	cáncer
diabetis	diabetes	diabetes
epilèpsia	epilepsy	epilepsia
pressió alta	high blood pressure	tensión alta
malalties mentals	mental disorders	enfermedades mentales
tuberculosi	tuberculosis	tuberculosis
Té fills?	Do you have any children?	¿Tiene usted hijos?
Quants?	How many?	¿Cuántos?
Quants anys tenen?	How old are they?	¿Qué edad tienen?

4.

ANTECEDENTS PERSONALS	PAST MEDICAL HISTORY	ANTECEDENTES PERSONALES
Ha patit alguna malaltia greu?	Have you had any serious illnesses?	¿Ha padecido alguna enfermedad grave?
Quines?	Which?	¿Cuáles?
Ha estat mai ingressat en un hospital?	Have you ever been admitted to a hospital?	¿Ha estado ingresado alguna vez en un hospital?
Quan? Per quin motiu?	When? Why?	¿Cuándo? ¿Por qué motivo?
L'han operat mai?	Have you been operated any time?	¿Ha sido operado alguna vez?
Quines malalties ha tingut?	What illnesses have you had?	¿Qué enfermedades ha padecido usted?
la varicel·la	chicken pox	la varicela
la diftèria	diphteria	la difteria
el xarampió	measles	el sarampión
les galteres	mumps	las paperas
la rubèola	rubella	la rubéola
l'escarlatina	scarlet fever	la escarlatina
la tuberculosi	tuberculosis	la tuberculosis
la tos ferina	whooping cough	la tos ferina
anèmia	anaemia	anemia
càncer	cancer	cáncer
epilèpsia	epilepsy	epilepsia
la pressió alta	high blood pressure	la tensión alta
icterícia	jaundice	ictericia
hemorràgia cerebral	stroke	hemorragia cerebral
On va passar la seva infantesa?	Where have you been brought up?	¿Dónde pasó usted su infancia?
L'han vacunat de res els darrers anys?	Have you been inoculated for the last few years?	¿Ha recibido alguna vacuna en los últimos años?
Contra què està vacunat/ada?	What are you inoculated against?	¿Contra qué está usted vacunado/da?
Està vacunat contra..........?	Are you inoculated against...?	¿Está vacunado contra........?
la diftèria	diphteria	la difteria
l'hepatitis A, B, C, D	hepatitis A, B, C, D	la hepatitis A, B, C, D
el xarampió	measles	el sarampión
les galteres	mumps	las paperas

la pòlio	polio	la polio
la rubèola	rubella	la rubéola
el tètanus	tetanus	el tétanus
la tuberculosi	tuberculosis	la tuberculosis
la tos ferina	whooping cough	la tos ferina
Ha estat mai en una zona tropical?	Have you ever been in a tropical area?	¿Ha estado alguna vez en una zona tropical?
Quan? On, concretament?	When? Where exactly?	¿Cuándo? ¿Dónde, concretamente?
Darrerament, ha estat sotmès a algun tipus de tractament mèdic?	Have you recently received medical treatment?	¿Ha estado últimamente bajo algún tratamiento médico?
Quins medicaments ha estat prenent?	Which drugs have you been taking?	¿Qué medicamentos ha estado tomando?
Quina dosi en pren?	What dose are you taking?	¿Qué dosis toma?
Quantes vegades al dia?	How many times a day?	¿Cuántas veces al día?
Durant quant de temps?	How long have you been taking them?	¿Durante cuánto tiempo?
Li fan efecte?	Do you have the impression that they are effective?	¿Tiene usted la impresión de que le hacen efecto?
Pren els seus medicaments regularment?	Do you take your medicines regularly?	¿Toma usted sus medicinas regularmente?
Pren medicaments per dormir? per al mal de cap? per anar de ventre?	Do you take drugs to sleep? for your headaches? to have a bowel movement?	¿Toma medicamentos para dormir? para el dolor de cabeza? para ir de vientre?
Fuma?	Do you smoke?	¿Fuma usted?
Ha sigut mai fumador/a?	Have you ever been a smoker?	¿Ha sido alguna vez fumador/ra?
Durant quant de temps ha fumat?	How long have you been smoking?	¿Durante cuánto tiempo ha fumado?
Quants cigarrets, pipes, cigars, fuma cada dia?	How many cigarettes, pipes, cigars do you smoke a day?	¿Cuántos cigarrillos, pipas, puros, fuma usted al día?

Català	English	Castellano
Què beu? Cervesa, vi, licors?	What do you drink? Beer, wine, spirits?	¿Qué bebe usted? ¿Cerveza, vino, licores?
Quina quantitat de cervesa / de vi / de licors beu més o menys a la setmana?	How much do you drink a week roughly?	¿Qué cantidad de cerveza / vino / licores bebe más o menos a la semana?
És al·lèrgic/a a alguna cosa? A què?	Are you allergic to anything? To what?	¿Es usted alérgico/ca a alguna cosa? ¿A qué?
És al·lèrgic/a a la penicil·lina o als anestèsics?	Are you allergic to penicillin or anesthesics?	¿Es alérgico/ca a la penicilina o a los anestésicos?
Viu amb animals domèstics?	Do you keep any pets?	¿Vive usted con animales domésticos?
Ha estat en contacte amb gossos, gats, cabres, xais, vaques, porcs, pollastres, animals de granja?	Have you had any kind of contact with dogs, cats, goats, sheep, cows, pigs, chicken, farm animals?	¿Ha estado en contacto con perros, gatos, cabras, corderos, vacas, cerdos, pollos, animales de granja?

5.

MALALTIA ACTUAL	PRESENT ILLNESS HISTORY	ENFERMEDAD ACTUAL
Què li passa?	What are you suffering from?	¿Qué le pasa?
Té mal de cap?	Do you have headache?	¿Tiene usted dolor de cabeza?
Li fa mal l'oïda?	Do you have earache?	¿Tiene dolor de oído?
Té dolor al pit?	Does you have chest ache?	¿Tiene dolor en el pecho?
Li costa empassar-se el menjar?	Do you have some difficulty in swallowing?	¿Le cuesta tragar?
Li fan mal..........? el / els braç/os la / les mà / mans la / les cama/es el / els peu/s	Do your..........ache? arm/s hand/s leg/s foot/feet	¿Le duelen..........? el / los brazo/s la / las mano/s la / las pierna/s el / los pie/s
Té mal de coll?	Do you have a sore throat?	¿Tiene dolor de garganta?
Li fa mal l'esquena?	Do you have backache?	¿Le duele la espalda?
Té dolor lumbar?	Does your loin ache?	¿Tiene dolor lumbar?
Li fa mal la panxa?	Do you suffer from abdominal pain?	¿Le duele la barriga?
Té problemes de digestió?	Do you suffer from bad digestion?	¿Tiene problemas de digestión?
Té problemes de..........? acidesa d'estómac restrenyiment diarrea gasos pirosi, coragre	Do you suffer from..........? gastric acidity constipation diarrhea flatulence heartburn	¿Tiene problemas de.........? acidez de estómago estreñimiento diarrea gases pirosis
Té nàusees?	Do you feel nausea / Do you feel sick?	¿Siente náuseas?
Ha perdut la gana?	Have you experienced a loss of apetite?	¿Ha perdido el apetito?
Li costa respirar?	Do you have difficulty in breathing?	¿Tiene dificultades para respirar?

Li costa orinar?	Do you have difficulty in urinating?	¿Tiene problemas para orinar?
Dorm bé?	Do you sleep well?	¿Duerme bien?
Té vertigen?	Do you feel dizzy?	¿Tiene vértigo?
S'ha desmaiat mai?	Have you had fainting attacks?	¿Se ha desmayado alguna vez?
Quant temps fa que té aquestes molèsties?	How long have you had these problems?	¿Desde cuándo tiene estas molestias?
Havia tingut aquestes molèsties abans? Quan?	Have you had these problems before? When?	¿Ha sentido antes estas molestias? ¿Cuándo?
On li fa mal?	Where does it hurt?	¿Dónde le duele?
Ensenyi'm on li fa mal	Show me where it hurts	Señale dónde le duele

Com és el dolor?	What is the pain like?	¿Cómo es el dolor?
Com el descriuria?	Describe it to me:	¿Cómo lo describiría?
[Intensitat]	[Intensity]	[Intensidad]
intens, agut	severe	intenso, agudo
suportable	moderate	soportable
lleu	tolerable, slightly painful	suave
[Localització]	[Localization]	[Localización]
localitzat	focused	localizado
difús	diffused	difuso
irradiat	radiating	irradiado
[Qualitat]	[Quality]	[Calidad]
cremant	burning	quemante
constant	constant	constante
constrictiu	constricting	constrictivo
espasmòdic	crampy	espasmódico
opressiu	crushing	opresivo
punxant	stabbing	punzante
pulsatiu	throbbing	pulsátil

El dolor va aparèixer gradualment o de sobte?	Did the pain come gradually or suddenly?	¿El dolor apareció gradualmente o de repente?
Va i ve?	Does it come and go?	¿Va y viene?
El dolor, s'escampa cap a altres parts?	Does the pain spread?	¿El dolor se expande hacia otras partes?

Quant de temps li dura?	How long does it last?	¿Cuánto tiempo le dura?
Hi ha alguna cosa que el desencadeni?	What brings it on?	¿Hay algo en particular que lo desencadena?
Què l'alleuja / l'empitjora?	What makes it better / worse?	¿Qué lo alivia / empeora?
Quan li desapareixen les molèsties?	When do the trouble disappear?	¿Cuándo le desaparecen las molestias?
Quan li vénen les molèsties?	When do the trouble appear?	¿Cuándo le vienen las molestias?

al matí	in the morning	por la mañana
a la tarda	in the evening	por la tarde
a la nit	at night	por la noche
durant el dia	during the day	durante el día
abans de menjar	before eating	antes de comer
després de menjar	after eating	después de comer
quan camina	while walking	mientras camina
estant a peu dret	while standing	estando de pie
estant assegut/uda	while sitting	estando sentado/da
estant ajagut/uda	while laying	estando echado/da
quan es mou	when moving	al moverse
quan s'ajup	when bending	al agacharse
quan s'aixeca	when standing up	al levantarse
quan aixeca un pes	when lifting a weight	al levantar un peso
després d'un esforç	after an effort	después de un esfuerzo

Relaciona l'aparició de les molèsties amb alguna cosa? Amb què?	Do you associate the appearance of the pain particularly with something? With what?	¿Relaciona la aparición de las molestias con algo? ¿Con qué?
Han empitjorat les molèsties últimament? Quan?	Have these problems been worse recently? When?	¿Han empeorado las molestias últimamente? ¿Cuándo?
Ha tingut febre?	Did you have fever?	¿Ha tenido fiebre?
Quan li va començar?	When did the fever start?	¿Cuándo le empezó?
Quant de temps li va durar?	How long did it last?	¿Cuánto tiempo duró?
Quanta febre va tenir?	How much fever did you have?	¿Cuánta fiebre tuvo?
Ha tingut calfreds?	Have you had chills?	¿Ha tenido escalofríos?

Sua molt?	Did you sweat / transpire a lot?	¿Suda mucho?
Dorm bé?	Do you sleep well?	¿Duerme bien?
Se sent més cansat/ada que de costum?	Do you feel more tired than usual?	¿Se siente más cansado/da que de costumbre?
Té més set que de costum?	Are you thirstier than usual?	¿Tiene más sed que de costumbre?
Ha perdut o guanyat pes darrerament?	Has your weight changed recently?	¿Ha perdido o ganado peso últimamente?
S'ha notat algun bony darrerament?	Have you recently noticed any lumps?	¿Se ha notado algún bulto últimamente?

6.
SISTEMA CARDIOVASCULAR   CARDIOVASCULAR SYSTEM   SISTEMA CARDIOVASCULAR

Té dolor al pit?	Does your chest ache?	¿Tiene dolores en el pecho?
Amb quina freqüència el té?	How often do you have them?	¿Con qué frecuencia los padece?
Quan li ve?	When does it happen?	¿Cuándo le vienen los dolores?
Li ve després d'un esforç?	Does it happen after an effort?	¿Le vienen después de un esfuerzo?
Li ve sense haver fet cap esforç?	Does it happen without doing an effort?	¿Le vienen sin haber hecho ningún esfuerzo?
Quant de temps li dura?	How long does it last?	¿Cuánto tiempo le duran?
Canvia amb la respiració, el dolor?	Does this pain change when breathing?	¿Se modifican los dolores al respirar?
Nota que li costa respirar quan fa exercici físic?	Dou you get short of breath when you practise sport?	¿Nota que le falta aire cuando hace ejercicio físico?
Quant d'exercici físic ha de fer perquè li costi respirar?	How long do you have to exercise your body so as it is difficult for you to breath?	¿Cuánto ejercicio físico tiene que hacer para que le cueste respirar?
Té problemes per pujar escales?	Do you have any problems to climb the stairs?	¿Tiene usted problemas para subir escaleras?
S'ha despertat mai a la nit amb la sensació que no podia respirar?	Have you ever woken up short of breath at night?	¿Se ha despertado alguna vez por la noche con la sensación que le faltaba el aire?
Quants coixins necessita per dormir?	How many pillows do you need to sleep?	¿Cuántas almohadas necesita para dormir?
Té palpitacions? Després d'un esforç?	Do you have palpitations? After an effort?	¿Tiene usted palpitaciones? ¿Después de un esfuerzo?
Ha tingut mai la sensació que el cor li bategava massa de pressa o irregularment?	Have you ever noticed your heart racing or beating irregularly?	¿Ha notado alguna vez que su corazón latía demasiado rápido o irregularmente?
Té palpitacions quan està relaxat/ada?	Do the palpitations appear when you are relaxed?	¿Surgen las palpitaciones estando usted relajado/da?

Català	English	Español
Com acostuma a tenir la pressió sanguínia?	What is your blood pressure?	¿Cómo suele ser su tensión sanguínea?
baixa	low	baja
normal	regular	normal
alta	high	alta
més baixa que fa dos anys	lower than 2 years ago	más baja que hace dos años
més alta que fa tres mesos	higher than 3 months ago	más alta que hace tres meses

Les mans / els peus se li tornen blaves / blaus?
Té la sensació que les mans / els peus se li refreden?

Do you have cold or blue hands / feet?

¿Se le ponen las manos / los pies azules?
¿Nota como si se le enfriaran las manos / los pies?

Se li inflen sovint les cames o els peus?

Do your legs or feet often swell?

¿Se le hinchan a menudo las piernas o los pies?

Tot això li acostuma a passar més aviat al final del dia?

Does this occur especially in the evening?

¿Le ocurre esto especialmente al final del día?

Té les cames sempre inflades?

Are your legs always swollen?

¿Están sus piernas siempre hinchadas?

Té molèsties al panxell de les cames?

Do you have trouble with your calves?

¿Tiene usted molestias en las pantorrillas?

Li fan mal les cames?
Quan li fan mal?

Do your legs hurt?
When do they hurt?

¿Tiene dolores en las piernas? ¿Cuándo le duelen?

Quina cama?
La dreta o l'esquerra?
Totes dues cames?

Which leg? The right one or the left one?
Both legs?

¿Qué pierna? ¿La derecha o la izquierda?
¿Ambas piernas?

Sent el dolor sense fer moviments?

Does the pain appear whithout moving yourself?

¿Aparece el dolor sin realizar movimientos?

Sent el dolor quan camina?

Does the pain appear when you walk?

¿Aparece el dolor cuando camina?

El dolor empitjora fins que l'obliga a aturar-se?

Does it get worse until you are forced to stop?

¿El dolor empeora hasta obligarle a pararse?

S'alleuja amb el repòs?

Does it get better then?

¿Luego se alivia en reposo?

El dolor s'alleuja amb el moviment?

Is the pain relieved by movement?

¿El dolor se alivia con el movimiento?

Té freqüentment sensació de formigueig als peus / les cames / les mans / els braços?

Do you have pins and needles in your feet / legs / hands / arms?

¿Siente con frecuencia hormigueos en los pies / las piernas / las manos / los brazos?

Li surt sang del nas freqüentment?

Do you have frequent nosebleeds?

¿Sangra por la nariz a menudo?

Sap si té el nivell de colesterol alt?

Dou you know if your cholesterol level is high?

¿Sabe si tiene el nivel de colesterol alto?

7.

SISTEMA RESPIRATORI	RESPIRATORY SYSTEM	SISTEMA RESPIRATORIO
Té dificultats per respirar?	Do you often have shortness of breath?	¿Tiene dificultades para respirar?
Les dificultats per respirar apareixen sobtadament?	Does the shortness of breath appear suddenly?	¿Las dificultades para respirar aparecen súbitamente?
Li vénen després d'un esforç?	Does it appear after an effort?	¿Le vienen después de un esfuerzo?
Quan li falta aire, respira amb xiulets?	Do you ever wheeze when you are short of breath?	¿Cuando le falta el aire, respira con silbidos?
Li apareixen a la nit?	Does it appear at night?	¿Le aparecen por la noche?
Té asma?	Do you suffer from asthma?	¿Padece usted asma?
Ha tingut tos darrerament?	Have you recently had a cough?	¿Ha tenido tos recientemente?
Ha tret / expectorat res?	Do you cough up anything?	¿Ha arrancado / expectorado alguna cosa?
Ha tossit sang alguna vegada?	Have you ever coughed up blood?	¿Ha tosido sangre alguna vez?
La tos apareix amb el fred o la pols?	Is there anything that brings on the cough, like dust or cold?	¿Le viene la tos con el polvo o el frío?
Treu / expectora alguna cosa?	Do you have to spit?	¿Arranca / expectora alguna cosa?
Quin aspecte té l'esput?	What does the spit look like?	¿Qué aspecto tiene el esputo?

marró	brown	marrón
amb sang	bloody	con sangre
negre	black	negro
verd	green	verde
groc	yellow	amarillo
líquid	liquid	líquido
blanc	white	blanco
mucós	mucous	mucoso

Català	English	Español
Està constipat?	Do you have a cold?	¿Está usted resfriado?
Es constipa freqüentment?	Do you catch colds frequently?	¿Se resfría usted frecuentemente?
Té mal de coll, quan es constipa?	Do you usually have a sore trhoat with them?	¿Tiene dolor de garganta cuando se resfría?
Ha tingut mai pneumònia o tuberculosi?	Have you ever had pneumonia or tuberculosis?	¿Ha tenido alguna vez neumonía o tuberculosis?
Li han fet recentment una radiografia del pit / tòrax?	Have you got a recent chest x-ray?	¿Le han hecho recientemente una radiografía del pecho / tórax?

8.

APARELL DIGESTIU	DIGESTIVE SYSTEM	APARATO DIGESTIVO
Té gana?	Do you have a good appetite?	¿Tiene usted mucho apetito?
Pot menjar de tot?	Can you eat everything?	¿Puede comer de todo?
Què no pot menjar? Per què?	What can't you eat? Why?	¿Qué es lo que no puede comer? ¿Por qué?
Té indigestió?	Do you suffer from indigestion?	¿Tiene indigestión?
Té nàusees?	Do you get nausea?	¿Siente náuseas?
Li produeixen vòmits?	Does it make you vomit?	¿Le producen vómitos?
Quin aspecte té el vòmit? amb sang marró fosc amb bilis groc	What does the vomit look like? bloody brown dark with bile yellow	¿Qué aspecto tiene el vómito? con sangre marrón oscuro con bilis amarillo
Ha vomitat sang alguna vegada?	Have you ever vomited blood?	¿Ha vomitado sangre alguna vez?
Té la sensació de tenir el ventre ple d'aire?	Do you feel bloated?	¿Siente el vientre lleno de aire?
Menja regularment?	Do you take your meals regularly?	¿Come usted con regularidad?
Ha guanyat / perdut pes darrerament?	Have you gained / lost weight?	¿Ha ganado / perdido peso últimamente?
Manté el seu pes constant?	Is your weight constant?	¿Mantiene su peso constante?
Té problemes per empassar-se el menjar?	Do you have any difficulties when swallowing?	¿Tiene problemas para tragar la comida?
Amb quina freqüència va de ventre?	How frequently do you have a bowel movement?	¿Con qué frecuencia va usted de vientre?
Va de ventre regularment?	Are your bowel movements regular?	¿Va de vientre regularmente?

Català	English	Español
Va de ventre més / menys sovint que habitualment?	Has your bowel habit changed recently?	¿Va más / menos frecuentemente de vientre que de costumbre?
Té diarrea?	Do you have diarrhea?	¿Tiene diarrea?
Quin aspecte té la caca?	What does the stool look like?	¿Cómo es la caca?
negra	black	negra
amb sang	bloody	con sangre
marró	brown	marrón
amb moc	mucous	con moco
normal	normal	normal
groga	yellow	amarilla
blanca	white	blanca
líquida	watery	líquida
dura	hard	dura
Ha fet mai caca / femta amb sang?	Have you ever seen blood in your motions?	¿Ha hecho heces con sangre alguna vez?
Ha fet mai caca de color negre?	Has your stool ever been black?	¿Ha hecho alguna vez heces de color negro?
Pren laxants?	Do you take laxatives?	¿Toma usted laxantes?
Té algun tipus de molèsties després de menjar?	Do you have any kind of problems after eating?	¿Tiene alguna clase de molestias después de las comidas?
acidesa gàstrica	gastric acidity	acidez gástrica
pirosi, coragre	pirosis, heartburn	pirosis
espasmes	cramps	espasmos
gasos	winds	gases
nàusees	nausea	náuseas
vòmits	vomits	vómitos
Ha tingut cap úlcera d'estómac?	Have you ever had an ulcer?	¿Ha tenido alguna úlcera de estómago?
Ha tingut cap hepatitis?	Have you ever had hepatitis?	¿Ha tenido alguna hepatitis?
Se li han posat alguna vegada la pell o els ulls de color groc?	Have your eyes or has your skin ever gone yellow?	¿Se le han puesto alguna vez la piel o los ojos amarillos?

9.

SISTEMA NERVIÓS	NERVOUS SYSTEM	SISTEMA NERVIOSO
Està nerviós/osa / relaxat/ada?	Do you feel nervous / relaxed?	¿Está usted nervioso/sa / relajado/da?
Ha sentit als braços o a les cames..........? debilitat entumiment pesantor	Have you felt your arms or legs..........? weak numb clumsy	¿Ha notado usted en brazos o piernas..........? debilidad entumecimiento pesadez
On? Quant temps fa que ho té?	Where? How long have you had it?	¿Dónde? ¿Desde cuándo lo tiene?
Nota algun tipus d'alteració del tacte?	Do you feel your limbs numb?	¿Siente usted alguna alteración del tacto?
On nota aquesta alteració?	Where does it feel not normal?	¿Dónde siente usted esta alteración?
Ha notat algun tipus d'alteració de l'olfacte?	Do you have any problems with smelling?	¿Nota alteraciones del olfato?
Ha notat algun tipus d'alteració en el gust del menjar?	Does everything taste normal?	¿Ha notado alteraciones del sentido del gusto?
Hi veu bé?	Do you have any problems dealing with your sight?	¿Ve bien?
Té problemes per veure-hi de lluny / de prop?	Are you shortsighted / longsighted?	¿Tiene usted problemas para ver de lejos / de cerca?
Hi veu borrós?	Do you see dimly / clouded / blurred?	¿Ve usted borroso?
Ha vist doble alguna vegada?	Have you ever had double vision?	¿Ha visto doble alguna vez?
Alguna vegada, li roda el cap?	Does your head sometimes swim?	Algunas veces, ¿le da vueltas la cabeza?
La llum intensa, li produeix dolor als ulls?	Do you find that bright lights hurt your eyes?	¿Nota que la luz intensa le produce dolor en los ojos?
Hi sent bé?	Can you hear well?	¿Oye bien?

Català	English	Español
Sent a vegades un brunzit a l'oïda?	Do you sometimes hear buzzings in your ear?	¿Siente a veces un zumbido en los oídos?
Es mareja sovint?	Do you usually suffer from dizzines / dizzy spells / giddiness?	¿Sufre usted mareos a menudo?
Té mal de cap sovint?	Do you frequently have headaches?	¿Sufre frecuentemente dolores de cabeza?
Té sovint torticoli?	Do you often have stiff neck?	¿Sufre a menudo de tortícolis?
Ha tingut algun/a..........? esvaniment desmai pèrdua sobtada de vista	Have you ever had any......? fainting episodes fits blackouts	¿Ha sufrido algún/una........? desvanecimiento desmayo pérdida brusca de visión
Perd freqüentment el coneixement? Quan?	Do you have losses of conciousness? When?	¿Sufre usted pérdidas bruscas del conocimiento? ¿Cuándo?
Amb quina freqüència li passa?	How often did you have it?	¿Con qué frecuencia le pasa?
Se n'adona, quan li ve?	Do you realize when the fainting spell is coming?	¿Se da cuenta cuando le viene?
Li ve de cop i volta / bruscament / sobtadament?	Does it occur suddenly?	¿Le viene de golpe / bruscamente / súbitamente?
¿Es recorda del que ha passat just abans de desmaiar-se?	Do you remember what happened just before fainting?	¿Se acuerda de lo ocurrido justo antes del desmayo?
S'ha fet mal en desmaiar-se?	Have you hurt yourself when fainting?	¿Se ha hecho daño al desmayarse?

10.

APARELL UROGENITAL	UROGENITAL SYSTEM	APARATO UROGENITAL
Li fa mal la zona lumbar / els ronyons?	Do you feel pain in your loins?	¿Le duele la zona lumbar / los riñones?
Té molèsties en orinar / fer pipí?	Is it difficult for you to pass water?	¿Tiene molestias al orinar / hacer pipí?
Nota coïssor quan orina?	Does it burn when passing water?	¿Tiene escozor al orinar?
El raig d'orina, és tan intens com abans?	Is the stream as good as it used to be?	¿El chorro de orina es igual de intenso que anteriormente?
Té dificultats per començar a orinar?	Is there a delay before you start to pass urine?	¿Tiene dificultades para empezar a orinar?
Se li escapen algunes gotes d'orina just després d'haver acabat?	Is there a dribbling at the end?	¿Se le escapan algunas gotas de orina justo después de acabar?
Fa més o menys quantitat d'orina que de costum?	Are you passing much larger or smaller amounts of urine than normal?	¿Hace más o menos cantidad de orina que habitualmente?
Orina més freqüentment que de costum?	Do you have to pass water more often than before?	¿Tiene usted que orinar más frecuentemente que de costumbre?
Ha d'aixecar-se a la nit per orinar? Quantes vegades?	Do you have to get up at night to pass the water? How often?	¿Tiene que levantarse por la noche para orinar? ¿Cuántas veces?
L'orina fa una olor no habitual?	Does the urine have an unusual smell?	¿Tiene la orina un olor inhabitual?

L'orina és d'un color poc habitual?
    marró
    vermellosa
    com la Coca-cola
	Does your urine have an unusual colour?
	    brown
	    reddish
	    like coke
		¿Tiene la orina un color inhabitual?
		    marrón
		    rojiza
		    como la Coca-cola

Ha orinat mai sang?	Have you ever seen your urine bloody?	¿Ha orinado sangre alguna vez?
S'ha vist / notat taques o bonys als genitals?	Have you noticed any rashes or lumps on your genitals?	¿Se ha visto / notado manchas o bultos en sus genitales?

Ha tingut mai cap malaltia venèria / malaltia de transmissió sexual?	Have you ever had a venereal disease?	¿Ha tenido alguna vez alguna enfermedad venérea / enfermedad de transmisión sexual?
Quantes parelles sexuals ha tingut els darrers anys?	How many sexual partners have you had in the last years?	¿Cuántas parejas sexuales ha tenido en los últimos años?
Ha mantingut darrerament relacions sexuals de risc?	Have you lately hold risky sexual practices?	¿Ha mantenido últimamente relaciones sexuales de riesgo?
Utilitza habitualment condons en les seves relacions sexuals?	Do you regulary use condoms in your sexual intercourses?	¿Utiliza habitualmente condones en sus relaciones sexuales?
Ha tingut alguna infecció de les vies urinàries / d'orina?	Have you ever had an urinary tract infection?	¿Ha tenido alguna infección de las vías urinarias / de orina?
Ha tingut mai pedres al ronyó?	Have you ever had a kidney stone?	¿Ha tenido alguna vez piedras en el riñón?

11.

APARELL LOCOMOTOR	MUSCULOSKELETAL SYSTEM	APARATO LOCOMOTOR
Li fan mal les articulacions?	Are your joints painful?	¿Le duelen las articulaciones?
Nota rigidesa a les articulacions?	Are your joints stiff?	¿Nota rigidez en las articulaciones?
Nota que se li inflen les articulacions?	Have your joints ever been swollen?	¿Se le hinchan las articulaciones?
Ha tingut alguna erupció a la pell darrerament?	Have you had a skin rash recently?	¿Ha tenido alguna erupción en la piel recientemente?
Té mal d'esquena? / Té dolor al coll?	Do you have backache / neckache?	¿Tiene dolor de espalda / en el cuello?
S'ha notat els ulls secs o vermells?	Have your eyes been dry or red?	¿Ha notado sus ojos secos o rojos?
Li han dit mai si tenia artritis reumatoide o gota?	Have you ever been told you have rheumatoid arthritis or gout?	¿Le han dicho alguna vez si tenía artritis reumatoide o gota?

12.

SISTEMA ENDOCRÍ	ENDOCRINE SYSTEM	SISTEMA ENDOCRINO
S'ha notat el coll inflat?	Have you ever felt your neck swelling?	¿Ha notado una hinchazón en el cuello?
Ha tingut mai algun problema de tiroide?	Have you had a thyroid problem?	¿Ha tenido algún problema en el tiroides?
És diabètic?	Are you diabetic?	¿Es usted diabético?
Quins medicaments pren per controlar la diabetis?	What kind of medication do you take to control it?	¿Qué medicación toma para controlar la diabetes?
Quant de temps ha estat prenent aquests medicaments?	How long have you been taking this medication?	¿Durante cuánto tiempo ha tomado esta medicación?
Ha notat si sua més que abans?	Have you noticed any increase of your sweat?	¿Ha notado si suda más que anteriormente?

13.

APARELL GENITAL FEMENÍ	FEMALE GENITAL SYSTEM	APARATO GENITAL FEMENINO
Quan va tenir la primera menstruació?	When did you have your first period?	¿Cuándo tuvo su primera menstruación?
Ha tingut la menopausa? A quina edat?	Have you already past your menopause? How old were you when you had it?	¿Ha tenido la menopausia? ¿A qué edad?
Té la menstruació / la regla regularment?	Are your menstruations regular?	¿Tiene la menstruación / la regla regularmente?
Amb quina freqüència té la menstruació?	How often do you have your menstruation?	¿Cada cuándo tiene la menstruación?
Quants dies li dura?	How long does it last?	¿Cuántos días le dura?
És abundant?	Do you have heavy bleedings?	¿Es abundante?
Té dolors abans / durant / després de la menstruació?	Do you feel pain before / during / after your menstruation?	¿Tiene dolores antes / durante / después de la menstruación?
Són molt forts, aquests dolors?	Is this pain severe?	¿Son estos dolores muy fuertes?
Té alguna secreció vaginal?	Do you have any vaginal discharge?	¿Tiene alguna secreción vaginal?
Té pèrdues de sang entre les menstruacions?	Do you have losses of blood in between periods?	¿Sufre pérdidas de sangre entre las menstruaciones?
Quin va ser el primer dia de la darrera regla?	When was the first day of your last period?	¿Cuál fue el primer día del último periodo?
Té relacions sexuals?	Do you have sexual intercourse?	¿Mantiene usted relaciones sexuales?
Quantes parelles sexuals ha tingut els darrers anys?	How many sexual partners have you had in the last years?	¿Cuántas parejas sexuales ha tenido en los últimos años?
Ha mantingut darrerament relacions sexuals de risc?	Have you lately hold risky sexual practices?	¿Ha mantenido últimamente relaciones sexuales de riesgo?

La seva parella, utilitza habitualment condons per a les seves relacions sexuals?	Do your partner regularly use condoms in your sexual intercourses?	¿Utiliza su pareja habitualmente condones para sus relaciones sexuales?
Pren píndoles anticonceptives / la píndola?	Are you on the pill?	¿Toma pastillas anticonceptivas / la píldora?
Pateix alguna mena de molèstia / dolor quan fa l'amor / manté relacions sexuals?	Do you feel pain during the intercourse?	¿Siente molestias / dolor al hacer el amor / mantener relaciones sexuales?
Són unes molèsties o dolors profunds o superficials?	Is it deep down or on the surface?	¿Son unas molestias o dolores profundos o superficiales?
Quants embarassos ha tingut?	How many pregnancies have you had?	¿Cuántos embarazos ha tenido?
Quants parts ha tingut?	How many times have you given birth?	¿Cuántos partos ha tenido?
Ha tingut avortaments? Quants? En quin mes de l'embaràs / de la gestació?	Have you had any miscarriages? How many? When?	¿Ha tenido usted abortos? ¿Cuántos? En qué mes de embarazo / de gestación?
Els parts van ser normals?	Were your deliveries normal?	¿Los partos fueron normales?
Quant pesava/en el/s seu/s fill/s en néixer?	How much did your children weigh at birth?	¿Cuánto pesaba/n su/s hijo/s al nacer?
Algun dels seus nadons va tenir problemes per respirar en néixer?	Did any of them have trouble with breathing when they were born?	¿Tuvo alguno de sus bebés problemas para respirar al nacer?
Algun dels seus nadons va néixer de color groc / va tenir icterícia?	Did any of them have jaundice?	¿Alguno de sus bebés nació amarillo / tuvo ictericia?
A algun dels seus nadons, l'han hagut de portar a una unitat de cures intensives?	Did any of them had to go to a special care baby unit?	¿Alguno de sus bebés ha tenido que ser llevado a una unidad de cuidados intensivos?
Està embarassada / en estat?	Are you pregnant?	¿Está embarazada / en estado?
De quantes setmanes o de quants mesos està?	How long have you been pregnant?	¿De cuántas semanas o de cuántos meses está usted?

Ha tingut algun problema durant l'embaràs?	Have you had any problems in this pregnancy?	¿Ha tenido algún problema durante el presente embarazo?
Nota que el seu fill es mou? On ho nota?	Do you feel your baby moving? Where do you feel it?	¿Nota usted que su bebé se mueve? ¿Dónde lo nota?
Ha notat alguna contracció?	Have you felt any contractions?	¿Ha notado alguna contracción?

14.

QÜESTIONS DE PEDIATRIA	QUESTIONS IN PEDIATRICS	CUESTIONES DE PEDIATRÍA
Per què ha portat el seu fill / la seva filla a l'hospital?	Why did you bring your child to hospital?	¿Por qué trajo su hijo / hija al hospital?
Quants anys té?	How old is your child?	¿Cuántos años tiene?
Quant pesava el seu fill / la seva filla en néixer?	How much did he / she weigh when he / she was born?	¿Cuánto pesó su hijo / hija al nacer?
Va néixer el dia esperat?	Was he / she born on time?	¿Nació en la fecha esperada?
Quant de temps fa que està malalt/a?	How long has he / she been ill?	¿Cuánto tiempo lleva enfermo/ma?
Plora molt?	Does he / she cry a lot?	¿Llora mucho?
Que li dóna per menjar?	What do you feed him / her with?	¿Con qué lo alimenta?
potets per a infants	baby food	potitos para bebés
crema de cereals	creamed cereals	papilla de cereales
pollastre	chicken	pollo
peix	fish	pescado
carn	meat	carne
llet materna	mother's milk	leche materna
llet preparada	prepared milk	leche preparada
hortalisses	vegetables	hortalizas
Té gana?	Does he / she have a good appetite?	¿Tiene apetito?
Augmenta de pes el seu fill / la seva filla?	Is your child gaining weight? How much?	¿Aumenta de peso su niño / su niña?
El seu fill sap asseure's? Posi'l damunt de la taula perquè el pugui explorar.	Can your baby sit up? Put him on the table and I will examine him / her.	¿Su niño sabe sentarse? Póngalo encima de la mesa para que lo pueda explorar.
El troba més endormiscat/ada que de costum?	Has he / she been unusually sleepy?	¿Lo encuentra usted más adormecido/da de lo corriente?
Vomita?	Does he / she vomit?	¿Vomita?
De quin tipus de dolor es queixa el seu fill / la seva filla?	What pains does the child complain about?	¿De qué dolores se queja el niño / la niña?

Ja havia tingut dolors semblants, anteriorment?	Did he / she have similar pains in the past?	¿Ya había tenido dolores similares anteriormente?
Ha tingut darrerament alguna erupció a la pell?	Has he / she recently had a rash?	¿Ha tenido recientemente alguna erupción en la piel?
Ha tingut la varicel·la?	Has he had chicken pox?	¿Ha tenido la varicela?
El seu fill / la seva filla, té problemes per respirar?	Does your child have trouble with breathing?	¿Tiene su niño / niña problemas para respirar?
Ha perdut mai el coneixement?	Has he / she ever lost his / her conciousness?	¿Ha perdido alguna vez el conocimiento?
Ha tingut mai convulsions?	Has he / she ever had convulsions?	¿Ha tenido alguna vez convulsiones?
El seu fill / la seva filla gateja / camina de quatre grapes?	Has he / she already begin to crawl?	¿Su hijo / hija gatea?
El seu fill / la seva filla, camina sol/a?	Is your child already able to walk by himself / herself?	¿Su hijo / hija es ya capaz de caminar solo/la?
El seu fill / la seva filla, sap parlar?	Can your child speak?	¿Su hijo / hija, sabe hablar?
Què sap dir?	What can he / she say?	¿Qué sabe decir?
El seu fill / la seva filla menja sol/a, sense ajuda? es vesteix es desvesteix fa pipí fa caca	Does your child eat by himself / herself? get dressed get undressed pass water has bowel motions	¿Come su hijo / su hija solo/la, sin ayuda? se viste se desviste hace pipí hace caca

15.

QÜESTIONS EN CAS D'ACCIDENT	QUESTIONS IN CASE OF ACCIDENT	CUESTIONES EN CASO DE ACCIDENTE
Què ha passat? Com ha passat?	How did it happen?	¿Qué ha ocurrido? ¿Cómo ha ocurrido?
Ha caigut?	Did you fall down?	¿Se ha caído?
S'ha cremat?	Did you burn yourself?	¿Se ha quemado?
Quan ha tingut l'accident?	When did the accident occur?	¿Cuándo tuvo el accidente?
On ha tingut l'accident?	Where did it happen?	¿Dónde tuvo el accidente?
Què feia quan va tenir l'accident?	What were you doing when the accident happened?	¿Qué estaba haciendo cuando tuvo el accidente?
Va perdre el coneixement a causa de l'accident?	Did you lose conciousness / faint because of the accident?	¿Perdió el conocimiento a causa del accidente?
On li fa mal?	Where does it hurt?	¿Dónde le duele?
Ha perdut molta sang?	Have you lost a lot of blood?	¿Ha perdido mucha sangre?
Pot moure..........? el cap el braç la mà els dits les cames els peus	Can you move your..........? head arm hand fingers legs feet	¿Puede mover..........? la cabeza el brazo la mano los dedos las piernas los pies
Nota..........? el cap el braç la mà els dits de la mà les cames els dits del peu	Do you feel your..........? head arm hand fingers legs feet	¿Siente usted..........? la cabeza el brazo la mano los dedos de la mano las piernas los dedos del pie

L'EXPLORACIÓ FÍSICA
A MEDICAL EXAMINATION
LA EXPLORACIÓN FÍSICA

1.

ASPECTES GENERALS	GENERAL TERMS	ASPECTOS GENERALES
Li faré una exploració	I am going to examine you	Voy a examinarle / explorarle
Segui aquí, si us plau	Sit down here, please	Siéntese aquí, por favor
Estiri's aquí, si us plau	Lie down here, please	Échese aquí, por favor
Té cap dolor?	Are you in pain?	¿Tiene algun dolor?
Pot despullar-se, si us plau?	Would you mind getting undressed, please?	¿Puede desnudarse, por favor?
Tregui's la roba, si us plau	Would you mind taking your clothes off?	Quítese la ropa, por favor
Despulli's de la part de dalt, si us plau	Undress your top half, please	Desnúdese la parte de arriba, por favor
Tregui's.........., si us plau	Could you remove your......, please?	¿Puede quitarse.........., por favor?
l'abric	coat	el abrigo
el vestit	dress	el vestido
el jersei	jumper	el jersey
la camisa	shirt	la camisa
les sabates	shoes	los zapatos
les faldilles	skirt	la falda
els mitjons	socks	los calcetines
les mitges	stockings	las medias
els pantalons	trousers	los pantalones
Indiqui'm on li fa mal	Show me where it hurts	Enséñeme dónde le duele
Li fa mal quan faig pressió aquí?	Does it hurt, if I press here?	¿Le duele cuando le aprieto aquí?
Li fa mal quan moc la mà per aquí?	Does it hurt when I move here?	¿Le duele cuando muevo la mano por aquí?
Digui'm quan li fa mal	Tell me when it hurts	Dígame cuándo le duele
On li fa més mal, aquí o aquí?	Where does it hurt more, here or there?	¿Dónde le duele más, aquí o aquí?
Cap a on s'estén el dolor?	Where does the pain go?	¿Hacia dónde se extiende el dolor?

2.

EXPLORACIÓ ABDOMINAL	ABDOMINAL EXAMINATION	EXPLORACIÓN ABDOMINAL
Estiri's d'esquena, si us plau	Lie down on your back, please	Estírese de espaldas, por favor
Obri la boca, si us plau	Open your mouth, please	Abra la boca, por favor
Ensenyi'm la llengua, si us plau	Show me your tongue, please	Enséñeme la lengua, por favor
Digui "aaaaaaaa"	Say "aaaaaaaaah"	Diga "aaaaaaaa"
Li exploraré la panxa / el ventre	I'm going to examine your belly	Voy a explorarle la barriga / el vientre
Relaxi's. No faci força, si us plau	Relax. Do not press, please	Relájese. No haga fuerza, por favor
Li fa mal quan faig pressió aquí?	Does it hurt when I press here?	¿Le duele cuando le aprieto aquí?
El dolor es més fort quan faig pressió o quan deixo bruscament de pitjar?	Is the pain worse when I press or when I let the pressure go suddenly?	¿El dolor es más fuerte cuando aprieto o cuando dejo bruscamente de apretar?
Agafi aire, aguanti'l i deixi'l anar	Take a deep breath in and let it out	Tome aire, aguántelo y suéltelo
Tussi, si us plau!	Cough, please!	Tosa, por favor!

3.

EXPLORACIÓ RESPIRATÒRIA	CHEST EXAMINATION	EXPLORACIÓN RESPIRATORIA
Podria despullar-se de cintura cap amunt?	Could you undress your top half, please?	¿Podría desnudarse de cintura para arriba?
Segui, si us plau	Sit down, please	Siéntese, por favor
Li auscultaré el pit / els pulmons	I am going to listen to / sound your chest / lungs	Voy a auscultarle el pecho / los pulmones
Respiri lentament amb la boca oberta	Breath in and out slowly with your mouth open	Vaya tomando y sacando aire lentamente por la boca
Digui "33" (trenta-tres), si us plau	Say "99" (ninety-nine), please	Diga "33" (treinta y tres), por favor
Bufi tan fort com pugui dins d'aquest tub, si us plau	Blow as hard as you can into this tube	Sople tan fuerte como pueda dentro de este tubo, por favor
Respiri fondo, si us plau	Take a deep breath, please	Respire hondo, por favor
Aguanti la respiració, si us plau	Hold your breath, please	Aguante la respiración, por favor

4.

EXPLORACIÓ CARDÍACA	HEART EXAMINATION	EXPLORACIÓN CARDÍACA
Li prendré el pols: doni'm la mà, si us plau	I'm going to take your pulse: please give me your hand	Voy a tomarle el pulso: déme la mano, por favor
Li prendré la tensió	I'm going to check your blood pressure	Voy a tomarle la tensión
A quant està normalment de pressió arterial?	What is usually your blood pressure?	¿A cuánto está habitualmente de tensión arterial?
Giri el cap cap a l'esquerra i després cap a la dreta, si us plau	Turn your head to the left and then to the right, please	Gire la cabeza hacia la izquierda y después hacia la derecha, por favor
Li auscultaré el cor	I'm going to listen to / sound your heart	Voy a auscultarle el corazón
Respiri fondo i aguanti la respiració, si us plau	Take a deep breath in and hold it, please	Respire profundamente y mantenga la respiración, por favor
Li exploraré les cames	I'm going to examine your legs	Voy a explorar sus piernas

5.

EXPLORACIÓ NEUROLÒGICA	NEUROLOGICAL EXAMINATION	EXPLORACIÓN NEUROLÓGICA
Em pot dir on és ara?	Can you tell me where you are?	¿Me puede decir dónde está?
Em pot dir quin dia és avui?	Can you tell me what day it is?	¿Me puede decir qué día es hoy?
Li faré unes proves molt senzilles per veure si els nervis dels braços i les cames funcionen bé	I am going to do some simple tests to see if the nerves in your arms and legs are working properly	Voy a hacerle unas pruebas sencillas para ver si los nervios de los brazos y las piernas funcionan bien
Relaxi el braç / la cama	Relax your arm / leg	Relaje el brazo / la pierna
Faci el mateix que jo / Imiti'm	Do as I do	Haga lo que yo hago / Imíteme
Si us plau, mogui.......... el cap el coll els braços les mans els dits de la mà les cames els peus els dits dels peus	Please, move your.......... head neck arms hands fingers legs feet toes	Por favor, mueva.......... la cabeza el cuello los brazos las manos los dedos de la mano las piernas los pies los dedos de los pies
Empenyi contra mi, no deixi que li mogui els braços / les mans / les cames / els peus	Push against me, don't let me move your arms / hands / legs / feet	Empuje contra mi, no deje que le mueva los brazos / las manos / las piernas / los pies
Estrenyi'm els dits	Squeeze my fingers	Apriéteme los dedos
Exploraré els seus reflexos	I'll test your reflexes	Voy a explorar sus reflejos
Toqui's el nas amb la punta del dit índex	Touch your nose with your index finger	Tóquese la nariz con la punta del dedo índice
Estiri els braços amb els palmells de les mans mirant cap a dalt	Hold out your arms with your palms facing upwards	Estire sus brazos con las palmas de las manos hacia arriba
Avisi'm quan noti que l'estic tocant	Tell me when you feel that I am touching you	Avíseme cuando sienta que le estoy tocando

59

Nota el mateix aquí que aquí?	Does it feel the same here as there?	¿Siente lo mismo aquí que aquí?
Ho nota..........? suau fred calent penetrant	Does it feel..........? smooth cold hot sharp	¿Lo siente..........? suave frío caliente penetrante
Nota una o dues punxades?	Can you feel one or two points?	¿Nota uno o dos pinchazos?
Cap a on moc el seu dit, cap amunt o cap avall?	Where am I moving your toe to, up or down?	¿Hacia dónde estoy moviendo su dedo, hacia arriba o hacia abajo?
Pot olorar això?	Can you smell this?	¿Puede oler esto?
Pot llegir això?	Can you read this?	¿Puede leer esto?
Miri fixament el meu nas i digui'm quan veu aquesta agulla vermella	Look at my nose and tell me when you can see this red pin	Mire fijamente mi nariz y dígame cuándo puede ver este alfiler rojo
Segueixi el meu dit amb la mirada	Follow my finger with your eyes	Siga mi dedo con la vista
Veu doble en alguna direcció?	Do you see double in any particular direction?	¿Ve doble en alguna dirección?
Utilitzaré aquest aparell per mirar-li el fons dels ulls. Miri fixament endavant.	I'm going to use this to look at the back of your eyes. Look straight ahead.	Voy a usar este aparato para mirar el fondo de sus ojos. Mire fijamente al frente.
Aixequi les celles, si us plau	Raise your eyebrows, please	Levante las cejas, por favor
Tanqui els ulls tan fort com pugui	Close your eyes as tight as you can	Cierre los ojos tan fuerte como pueda
Somrigui com jo, si us plau	Give me a big smile like this, please	Sonría como yo, por favor
Sent aquest soroll?	Can you hear this?	¿Puede oír esto?
Obri la boca, si us plau. Li tocaré el fons de la gola	Open your mouth, please. I'm going to touch the back of your throat	Abra la boca, por favor. Voy a tocarle el fondo de la garganta

Empassi's saliva, si us plau	Swallow, please	Trague saliva, por favor
Tregui la llengua i mogui-la d'un costat cap a l'altre	Stick out your tongue and waggle it from side to side	Saque la lengua y muévala de un lado a otro
Aixequi's amb els peus junts	Stand up with your feet toghether	Levántese con los pies juntos
Camini cap a la paret	Walk towards the wall	Ande hacia la pared
Giri's i camini sobre els talons	Turn back and walk on your heels	Dé la vuelta y camine sobre los talones

6.

EXPLORACIONS COMPLEMENTÀRIES	DOING SOME LABORATORY TESTS	EXPLORACIONES COMPLEMENTARIAS
Li prendré la temperatura. Mantingui el termòmetre sota la llengua, si us plau	I am going to take your temperature. Keep the thermometer under your tongue, please	Voy a tomarle la temperatura. Mantenga el termómetro bajo la lengua, por favor
Li he de prendre la pressió	I have to take your blood pressure	Tengo que tomarle la tensión
Li he d'extreure una mica de sang per analitzar-la	I need to prick you to take a blood sample	Tengo que extraerle un poco de sangre para analizarla
Necessito una mostra d'orina. Orini en aquest recipient, si us plau	I need to have a urine sample. Pass your water in this bottle, please	Necesito una muestra de su orina. Orine en este recipiente, por favor
Li he de fer un electrocardiograma	I have to take an electrocardiogram	Tengo que hacerle un electrocardiograma
Li hem de fer.......... un registre del cor una radiografia del pit una anàlisi de sang una punció lumbar un escànner una ressonància magnètica una prova d'esforç una gammagrafia	We need to do a.......... a recording of your heart an X-ray of your chest a blood test a lumbar puncture an scanner a magnetic resonance an exercice test a gammagraph	Tenemos que hacerle.......... un registro del corazón una radiografía del pecho un análisis de sangre una punción lumbar un escáner una resonancia magnética una prueba de esfuerzo una gammagrafía

PRESENTACIÓ DEL CAS CLÍNIC
PRESENTING A CLINICAL CASE
PRESENTACIÓN DEL CASO CLÍNICO

1.

INFORMACIÓ GENERAL	GENERAL INFORMATION	INFORMACIÓN GENERAL
El/la pacient es troba..........	The pacient is..........	El/la paciente se encuentra..........
perfectament	excellent	perfectamente
bé	well	bien
millor que ahir	better than yesterday	mejor que ayer
malament	unwell	mal
pitjor que ahir	worse than yesterday	peor que ayer
sa / sana	healthy	sano/na
curat/ada, guarit/ida	recovered	curado/da
malalt/a	ill	enfermo/ma
molt greu	extremely grave	muy grave
pàl·lid/a	pale	pálido/da
anèmic/a	anemic	anémico/ca
cianòtic/a	cyanotic	cianótico/ca
ictèric/a	jaundiced	ictérico/ca
El/la pacient té..........	The patient has..........	El/la paciente tiene..........
una erupció	a rash	una erupción
la cama trencada	a broken leg	la pierna rota
dits de baqueta de timbal (acropàquia)	clubbing	dedos en palillo de tambor (acropaquia)
febre	fever	fiebre
la pressió alta	high blood pressure	la tensión alta
limfadenopaties	lymphadenopathy	linfadenopatías
dolor	pain	dolor
El seu pols és..........	His/her pulse is..........	Su pulso es..........
normal	normal	normal
regular	regular	regular
irregular	irregular	irregular
fort	strong	fuerte
dèbil	weak	débil
accelerat	accelerated	acelerado
no es troba	not found	no se encuentra
La seva temperatura és de trenta-sis graus i nou dècimes	His/her temperature is 36.9 °C	Su temperatura es de treinta y seis grados y nueve décimas
Té febre	He/she is pyrexial	Tiene fiebre
La seva pressió arterial és de cent vint / vuitanta	His/her blood pressure is 120/80	Su tensión arterial es de ciento veinte / ochenta

En la inspecció del / de la pacient vam trobar.........	We inspected the pacient and we found.........	En la inspección encontramos.........
que era simètrica	it was symmetrical	que era simétrica
una cicatriu	a scar	una cicatriz
una zona inflada	a swelling	una hinchazón
venes disteses	distended veins	venas distendidas
venes pulsatives	pulsatile veins	venas pulsátiles
el marge hepàtic	the margin of the liver	el margen del hígado

2.

L'ABDOMEN	THE ABDOMEN	EL ABDOMEN

Palpació:
    superficial
    profunda
    sensible
    sensible al rebot
    en defensa
    rígida
    dura
    tova
    mòbil
    fixa

Percussió:
    sorda
    ressonant
    estremidora

Auscultació intestinal:
    normal
    absent
    dringadissa

Palpation:
    light
    deep
    tender
    rebound sensitive
    guarding
    rigid
    hard
    soft
    mobile
    fixed

Percussion:
    dull
    resonant
    fluid thrill, purring

Bowel sounds:
    normal
    absent
    tinkling

Palpación:
    superficial
    profunda
    sensible
    sensible al rebote
    en defensa
    rígida
    dura
    blanda
    móvil
    fija

Percusión:
    floja, sorda
    resonante
    estremecedora

Auscultación intestinal:
    normal
    ausente
    tintineante

3.

EL SISTEMA CARDIOVASCULAR	THE CARDIOVASCULAR SYSTEM	EL SISTEMA CARDIOVASCULAR
El pols.......... era / no era palpable	His/her.......... pulse was / was not palpable	El pulso.......... era / no era palpable
carotidi	carotid	carotídeo
radial	radial	radial
femoral	femoral	femoral
popliti	popliteous	popliteo
pedi	pedial	pedio
Taquicàrdia	Tachycardia	Taquicardia
Bradicàrdia	Bradycardia	Bradicardia
El/la pacient està en fibril·lació ventricular	He/she is in atrial fibrilation	El/la paciente está en fibrilación ventricular
La pressió de la vena jugular és alta	The jugular venous pressure has risen	La presión de la vena yugular está alta
El/la pacient té un buf..........	He/she has a.......... bruit	El/la paciente tiene un soplo..........
carotidi	carotid	carotídeo
aòrtic	aortic	aórtico
mitral	mitral	mitral
triscúspide	tricuspid	tricúspide
abdominal	abdominal	abdominal
La pulsació de l'àpex cardíac es desvia cap a l'esquerra	The apex beat is deviated to the left	La pulsación del ápice cardíaco se desvía hacia la izquierda
El primer / segon / tercer / quart sorolls cardíacs són / estan..........	The 1st / 2nd / 3rd / 4th heart sound is..........	El primer / segundo / tercero / cuarto ruidos cardíacos son / estan..........
presents	present	presentes
absents	not present	ausentes
suaus	soft	suaves
forts	loud	fuertes
desdoblats	split	desdoblados
Té un buf pansistòlic al focus mitral que irradia cap a l'axil·la	He/she has a pan-systolic murmur heard best over the mitral area that radiates into the axila	Tiene un soplo pansistólico en el foco mitral que irradia hacia la axila

Bufs:	Murmur:	Soplos:
Buf d'ejecció sistòlica	Ejection systolic murmur	Soplo de eyección sistólica
Buf d'ejecció diastòlica	Ejection diastolic murmur	Soplo de eyección diastólica
Vàlvula aòrtica	Aortic valve	Válvula aórtica
Vàlvula pulmonar	Pulmonary valve	Válvula pulmonar
Vàlvula mitral	Mitral valve	Válvula mitral
Vàlvula tricúspide	Tricuspid valve	Válvula tricúspide
Insuficiència valvular	Valvular incompetence	Insuficiencia valvular
Estenosi valvular	Valvular stenosis	Estenosis valvular
Frec pericardíac	Pericardial rub	Roce pericárdico
El/la pacient té edema mal·leolar / edema als turmells	He/she has ankle edema	El/la paciente tiene edema maleolar / edema en los tobillos
Malformacions congènites del cor:	Congenital heart disease:	Malformaciones congénitas del corazón:
Persistència del ductus arteriosus	Patent ductus arteriosus	Persistencia del ductus arteriosus
Comunicació interauricular / interventricular	Atrial / ventricular septal defect	Comunicación interauricular / interventricular
Tetralogia de Fallot	Fallot's tetralogy	Tetralogía de Fallot
Coartació de l'aorta	Coarctation of the aorta	Coartación de aorta

4.

L'APARELL RESPIRATORI	THE LUNGS	EL APARATO RESPIRATORIO
Freqüència respiratòria.	Respiratory rate	Frecuencia respiratoria
taquipnea	tachypnea	taquipnea
bradipnea	bradypnea	bradipnea
dispnea	dyspnea	disnea
Moviments respiratoris normals i simètrics	Good symmetrical chest expansion	Movimientos respiratorios normales y simétricos
El mediastí està desviat cap a l'esquerra	The mediastinum is deviated to the left	El mediastino está desviado hacia la izquierda
Hi ha una imatge densa al lòbul pulmonar inferior dret	There is a consolidation of the low right hand side pulmonary lobe	Hay una imagen densa en el lóbulo pulmonar inferior derecho
Hi ha un vessament pleural esquerre	There is a left pleural effusion	Hay un derrame pleural izquierdo
Auscultació respiratòria:	Breathing auscultation:	Auscultación respiratoria:
sorolls respiratoris	breath sounds	ruidos respiratorios
vesicular	vesicular	vesicular
bronquial	bronchial	bronquial
crepitacions basals	basal crepitations	crepitaciones basales
panteixos	wheezes	jadeos
fremiment vocal	vocal fremitus	frémito vocal
frec pleural	pleural rub	roce pleural
Els ganglis limfàtics.......... ...estan inflats	His/her.........lymphnodes are enlarged	Los ganglios linfáticos........ ...están hinchados
axil·lars	axillary	axilares
supraclaviculars	supraclavicular	supraclaviculares
preaòrtics	preaortic	preaórticos
cervicals	cervical	cervicales

EL SISTEMA NERVIÓS	THE NERVOUS SYSTEM	EL SISTEMA NERVIOSO
El/la pacient està.......... alerta i orientat/ada confús/usa / desorientat/ada alcoholitzat/ada / borratxo/a	The patient is.......... allert and intelligent confused drunk / intoxicated	El/la paciente está.......... alerta y orientado confuso/sa / desorientado/da alcoholizado/da / borracho/cha
inconscient	unconscious	inconsciente
Les pupil·les són.......... simètriques regulars normoreactives a la llum normoreactives a l'acomodació	His/her pupils.......... are equal are regular react equally to light react equally to accomodation	Las pupilas son.......... simétricas regulares normoreactivas a la luz normoreactivas a la acomodación
El fons de l'ull / la retina és normal	His/her fundi are normal	El fondo de los ojos / la retina es normal
El/la paciente presenta uns moviments oculars normals	The patient has normal eye movements	El/la paciente presenta unos movimientos oculares normales
La resta de nervis parells cranials són normals	The rest of the cranial nerves is normal	El resto de nervios pares craneales son normales
El/la pacient presenta uns reflexos rotulars vius	The pacient has brisk knee reflexes	El/la paciente presenta unos reflejos rotulianos vivos
La força muscular és normal	His/her muscle strength is normal	La fuerza muscular es normal
Hi ha un augment del to muscular a la cama, el braç, el peu, la mà esquerra	There is an increasing muscle tone in his/her left leg, arm, foot, hand	Hay un aumento del tono muscular en la pierna, el brazo, el pie, la mano izquierda
Observem una pèrdua de força a l'hemicòs dret	We observe power is reduced on the right hand side	Observamos una pérdida de fuerza en el hemicuerpo derecho
Pèrdua / alteració de la funció muscular: paràlisi hemiplegia paraplegia pèrdua de força	Loss of muscle function: paralysis hemiplegia paraplegia muscle wasting	Pérdida / alteración de la función muscular: parálisis hemiplejía paraplejía pérdida de fuerza

VOCABULARI GENERAL I TERMINOLOGIA MÈDICA
GENERAL VOCABULARY AND MEDICAL TERMINOLOGY
VOCABULARIO GENERAL Y TERMINOLOGÍA MÉDICA

DICCIONARI DE TERMES MÈDICS

DICTIONARY OF MEDICAL TERMS

DICCIONARIO DE TÉRMINOS MÉDICOS

Vocabulari general i terminologia mèdica

Abreviatures		Abbreviation		Abreviaturas	
m	masculí	m	masculine	m	masculino
f	femení	f	femenine	f	femenino
adj	adjectiu	adj	adjective	adj	adjetivo
adv	adverbi	adv	adverb	adv	adverbio
vtr	verb transitiu	vtr	transitive verb	vtr	verbo transitivo
vi	verb intransitiu	vi	intransitive verb	vi	verbo intransitivo
vp	verb pronominal	vp	reflexive verb	vp	verbo pronominal

[CATALÀ]

[ENGLISH]

[CASTELLANO]

A

abdominal (adj)	abdominal	abdominal (adj)
abscés (m)	abcess	abceso (m)
acantocitosi (f)	acanthocytosis	acantocitosis (f)
acatísia (f)	acathisia	acatisia (f)
accés (m)	access	acceso (m)
accident (m)	accident	accidente (m)
acetonèmia (f)	acetonemia	acetonemia (f)
acetonúria (f)	acetonuria	acetonuria (f)
àcid (m)	acid	ácido (m)
àcid/a (adj)	acid	ácido/da (adj)
àcid úric (m)	uric acid	ácido úrico (m)
acidesa gàstrica (f)	gastric acidity	acidez gástrica (f)
aclorhídria (f)	achlorydria	aclorhidria (f)
acne (f)	acne	acné (f)
acondroplàsia (f)	achondroplasia	acondroplasia (f)
acromegàlia (f)	acromegaly	acromegalia (f)
addicte/a (adj)	addicted	adicto/ta (adj)
adenopatia (f)	adenopathy	adenopatía (f)
adolescència (f)	adolescence	adolescencia (f)
adonar-se (vp)	realize, to	darse cuenta (vp)
adormit/ida (adj)	sleepy	dormido/da (adj)
adventícia (f)	adventitia	adventicia (f)
afàsia (f)	aphasia	afasia (f)
afonia (f)	hoarseness	afonía (f)

agafar (vtr)	take, to	coger (vtr)
agafar un constipat (vtr)	catch a cold, to	resfriarse (vp)
agnòsia (f)	agnosia	agnosia (f)
aguantar (vtr)	hold, to	aguantar (vtr)
agulla (f)	needle	aguja (f)
agut/uda (adj)	acute	agudo/da (adj)
aixafar (vtr)	crush, to	aplastar (vtr)
aixecar-se (vp)	stand up, to	levantarse (vp)
aixecar (un pes) (vtr)	lift, to	levantar (un peso) (vtr)
ajuda (f)	help	ayuda (f)
ajudar (vtr)	help, to	ayudar (vtr)
alcalosi (f)	alkalosis	alcalosis (f)
alcohol (m)	alcohol	alcohol (m)
al·lèrgia (f)	allergy	alergia (f)
alleugerir (vtr)	alleviate, to	aliviar (vtr)
alleujament (m)	alleviation	alivio (m)
alliberament (m)	release	liberación (f)
alopècia (f)	alopecia	alopecia (f)
alt/a (adj)	tall	alto/ta (adj)
alteració (f)	impairment	alteración (f)
alvèol (m)	alveolus	alvéolo (m)
ambulància (f)	ambulance	ambulancia (f)
ampul·la (f)	ampulla	ampolla (f)
anafilaxi (f)	anaphylaxis	anafilaxis (f)
anàlisi de sang (f)	blood test	análisis de sangre (m)
anamnesi (f)	anamnesis	anamnesis (f)
anèmia (f)	anemia	anemia (f)
anestèsia (f)	anesthesia	anestesia (f)
anestèsic (m)	anesthetic	anestésico (m)
angina (f)	angina	angina (f)
angina de pit (f)	angina pectoris	angina de pecho (f)
animal domèstic (m)	pet	animal doméstico (m)
animals de granja (mpl)	farm animals	animales de granja (mpl)
anorèxia (f)	anorexia	anorexia (f)
antecedents familiars (mpl)	family history	antecedentes familiares (mpl)
antibiòtic (m)	antibiotic	antibiótico (m)
anúria (f)	anuria	anuria (f)
àpat (m)	meal	comida (f)
apendicitis (f)	appendicitis	apendicitis (f)
apràxia (f)	apraxia	apraxia (f)
ardent (adj)	burning	ardiente (adj)

Català	English	Español
artèria (f)	artery	arteria (f)
arteriosclerosi (f)	arteriosclerosis	arterioesclerosis (f)
artràlgia (f)	arthralgia	artralgia (f)
artritis (f)	arthritis	artritis (f)
artroscòpia (f)	arthroscopy	artroscopia (f)
ascites (f)	ascites	ascitis (f)
asma (f)	asthma	asma (f)
asma cardíaca (f)	cardiac asthma	asma cardíaca (f)
asma respiratòria (f)	respiratory asthma	asma respiratoria (f)
assegurança (f)	insurance	seguro (m)
asseure's (vp)	sit down, to	sentarse (vp)
atac (m)	stroke	ataque (m)
atac de feridura (m)	cerebral stroke	ataque de apoplejía (m)
aturada cardíaca (f)	heart arrest	paro cardíaco (m)
aviat (adv)	soon	pronto (adv)
avortament (m)	abortion, miscarriage	aborto (m)

B

Català	English	Español
bacteri (m)	bacterium	bacteria (f)
badall (m)	yawn	bostezo (m)
badallar (vi)	yawn, to	bostezar (vi)
baix/a (adj)	low	bajo/ja (adj)
bany (m)	bath	baño (m)
batec (m)	beat	latido (m)
benigne/a (adj)	benign	benigno/na (adj)
berruga (f)	wart	verruga (f)
bilirubina (f)	bilirubin	bilirrubina (f)
bilis (f)	bile	bilis (f)
biologia (f)	biology	biología (f)
biòpsia (f)	biopsy	biopsia (f)
bioquímica (f)	biochemistry	bioquímica (f)
bolquers (mpl)	napkins	pañales (mpl)
bony (m)	lump	bulto (m)
borrós/osa (adj)	blurred, cloudy	borroso/sa (adj)
braçal (m)	cuff	brazal (m)
bradicàrdia (f)	bradycardia	bradicardia (f)
bradipsíquia (f)	bradypsychia	bradipsiquia (f)
bronquièctasi (f)	bronchiectasis	bronquiectasia (f)
bronquitis (f)	bronchitis	bronquitis (f)
brunzit (m)	buzzing	zumbido (m)
buf (m)	bruit, murmur	soplo (m)

| bulímia (f) | bulimia | bulimia (f) |
| butllofa (f) | blister | ampolla (f) |

C

cabal cardíac (m)	cardiac output	caudal cardíaco (m)
cabells (mpl)	hair	pelo (m)
caca (f)	stool	caca (f)
cafè (m)	coffee	café (m)
caiguda dels cabells (f)	loss of hair	caída del cabello (f)
càlcul biliar (m)	biliary calculus	cálculo biliar (m)
càlcul vesical (m)	bladder calculus	cálculo vesical (m)
calor (f)	warm	calor (m)
caminar (vi)	walk, to	caminar (vi)
càncer (m)	cancer	cáncer (m)
cansament (m)	tiredness	cansancio (m)
capil·lar (m)	capillary	capilar (m)
cardiòleg/òloga (m/f)	cardiologist	cardiólogo/ga (m/f)
cardiologia (f)	cardiology	cardiología (f)
cardioversió (f)	cardioversion	cardioversión (f)
càries (f)	caries	caries (f)
carn (f)	meat	carne (f)
caspa (f)	dandruff	caspa (f)
cataracta (f)	cataract	catarata (f)
catarro (m)	catarrh	catarro (m)
catèter (m)	catheter	catéter (m)
cec / cega (adj)	blind	ciego/ga (adj)
ceguesa (f)	blindness	ceguera (f)
cesària (f)	cesarean section	cesárea (f)
cetona (f)	ketone	cetona (f)
cianosi (f)	cyanosis	cianosis (f)
ciàtica (f)	sciatica	ciática (f)
cicatriu (f)	scar	cicatriz (f)
cicle (m)	cycle	ciclo (m)
ciència (f)	science	ciencia (f)
circulació (f)	circulation	circulación (f)
circular (vi)	circulate, to	circular (vi)
cirrosi (f)	cirrhosis	cirrosis (f)
cirurgia (f)	surgery	cirugía (f)
cirurgià/ana (m/f)	surgeon	cirujano/na (m/f)
cistitis (f)	cystitis	cistitis (f)
citoquina (f)	citokine	citoquina (f)

Català	English	Español
cognició (f)	cognition	cognición (f)
coïssor (f)	itch	escozor (m)
coixí (m)	pillow	almohada (f)
colecistitis (f)	cholecystitis	colecistitis (f)
còlic (m)	abdominal cramp	cólico (m)
còlic biliar (m)	biliary colic	cólico biliar (m)
còlic renal (m)	renal colic	cólico renal (m)
col·liri (m)	eye drops	colirio (m)
color (m)	colour	color (m)
commoció (f)	concussion	conmoción (f)
complicació (f)	complication	complicación (f)
compresa (f)	compress	compresa (f)
comprimit (m)	tablet	tableta (f)
condó (m)	condom	condón (m)
congelació (f)	freeze	congelación (f)
congelar (vtr)	freeze, to	congelar (vtr)
congestió (f)	congestion	congestión (f)
conjuntivitis (f)	conjunctivitis	conjuntivitis (f)
constrictiu/iva (adj)	constricting	constrictivo/va (adj)
contagiós/osa (adj)	contagious	contagioso/sa (adj)
contraceptiu/iva (adj)	contraceptive	contraceptivo/va (adj)
contraindicació (f)	contraidication	contraindicación (f)
contusió (f)	contusion	contusión (f)
convalescència (f)	convalescence	convalescencia (f)
convulsió (f)	convulsion	convulsión (f)
coragre (m)	heartburn	acedía (f)
corba (f)	curve	curva (f)
córrer (vi)	run, to	correr (vi)
coure (m)	copper	cobre (m)
creixement (m)	growth	crecimiento (m)
crema (f)	cream	crema (f)
cremada (f)	burn	quemadura (f)
cremar (vtr)	burn, to	quemar (vtr)
Creu Roja (f)	Red Cross	Cruz Roja (f)
crisi nerviosa (f)	nervous breakdown	crisis nerviosa (f)
crònic/a (adj)	chronic	crónico/ca (adj)
crosta (f)	scab	costra (f)
cruiximent (m)	sore muscles	agujetas (fpl)
cuc (m)	worm	gusano (m)
cullerada (f)	spoon	cucharada (f)
cura (f)	care	cuidado (f)
curandero/a (m/f)	quack	curandero/ra (m/f)

curar (vtr)	heal, to	curar (vtr)
curt/a de vista (m/f)	shortsighted	corto/ta de vista (m/f)

D

danyar (vtr)	damage, to	dañar (vtr)
debilitat (f)	debility	debilidad (f)
defecació (f)	defecation	defecación (f)
deficiència (f)	deficiency	déficit (m)
dejunar (vi)	fast, to	ayunar (vi)
dentadura (f)	denture	dentadura (f)
dents de llet (fpl)	milk teeth	dientes de leche (mpl)
deposició (f)	defecation	deposición (f)
depuració (f)	clearance	depuración (f)
dermatologia (f)	dermatology	dermatología (f)
dermatosi (f)	dermatosis	dermatosis (f)
descansar (vi)	rest, to	descansar (vi)
descàrrega elèctrica (f)	discharge (electricity)	descarga eléctrica (f)
desinfectar (vtr)	disinfect, to	desinfectar (vtr)
desmai (m)	fainting	desmayo (m)
desmaiar-se (vp)	faint, to	desmayarse (vp)
despullar-se (vp)	get undressed, to	desnudarse (vp)
diabetis (f)	diabetes	diabetes (f)
diagnòstic (m)	diagnostic	diagnóstico (m)
diàlisi (f)	dialysis	diálisis (f)
diarrea (f)	diarrhea	diarrea (f)
dieta (f)	diet	dieta (f)
digestió (f)	digestion	digestión (f)
diners (mpl)	money	dinero (m)
dir (vtr)	say, to	decir (vtr)
discurs (m)	speech	discurso (m)
disenteria (f)	dysentery	disentería (f)
disminució (f)	lowering	disminución (f)
dissolt/a (adj)	diluted	diluido/da (adj)
distensió (m)	strain	distensión (m)
disúria (f)	dysuria	disuria (f)
doctor/a (m/f)	doctor	doctor/ra (m/f)
dolor (m)	ache, pain	dolor (m)
dolor premenstrual (m)	period pain	dolor premenstrual (m)
dolors del part (mpl)	labour pain	dolores del parto (mpl)
donant (m/f)	donor	donante (m/f)
dormir (vi)	sleep, to	dormir (vi)

dosi (f)	dose	dosis (f)
drenatge (m)	drainage	drenaje (m)
dreta (f)	right	derecha (f)
droga (f)	drug	droga (f)
d'un sol ús (adj)	disposable	desechable (adj)
dur/a (adj)	hard	duro/ra (adj)

E

ecografia (f)	echography	ecografía (f)
èczema (m)	eczema	eczema (m)
edema (m)	edema	edema (m)
electrocardiograma (m)	heart recording	electrocardiograma (m)
emaciació (f)	emaciation	emaciación (f)
embaràs (m)	pregnancy	embarazo (m)
embenat (m)	bandages	vendaje (m)
embòlia (f)	embolism	embolia (f)
emergència (f)	emergency	emergencia (f)
empassar-se (vp)	swallow, to	tragar (vtr)
empastament (m)	filling	empaste (m)
empelt (m)	graft	injerto (m)
empremta (f)	track	huella (f)
endèmia (f)	endemia	endemia (f)
ensenyar (vtr)	show, to	enseñar (vtr)
enteritis (f)	enteritis	enteritis (f)
enverinament (m)	poisoning	envenenamiento (m)
enzim (m)	enzyme	enzima (f)
eosinòfil (m)	eosinophile	eosinófilo (m)
epidèmia (f)	epidemia	epidemia (f)
epilèpsia (f)	epilepsia	epilepsia (f)
equilibri (m)	balance	equilibrio (m)
eritema (m)	erythema	eritema (m)
eritròcit (m)	red cell	hematíe, eritrocito (m)
eructe (m)	eructation	eructo (m)
erupció (f)	eruption, rash	erupción (f)
esbufegar (vi)	pant, to	jadear (vi)
escarlatina (f)	scarlet fever	escarlatina (f)
escoltar (vtr)	listen, to	escuchar (vtr)
escriure (vtr)	write, to	escribir (vtr)
esgarrifances (fpl)	chills	escalofríos (mpl)
esgotament muscular (m)	muscle wasting	agotamiento muscular (m)
espàstic/a (adj)	spastic	espástico/ca (adj)

espasticitat (f)	spasticity	espasticidad (f)
esperar (vtr)	wait, to	esperar (vtr)
esquerra (f)	left	izquierda (f)
esquinç (m)	dislocation	esguince (m)
estat nerviós (m)	nervousness	estado nervioso (m)
esternudar (vi)	sneeze, to	estornudar (vi)
esternut (m)	sneeze	estornudo (m)
estómac (m)	stomach	estómago (m)
estrènyer (vtr)	squeeze, to	estrujar (vtr)
estrès (m)	stress	estrés (m)
eutanàsia (f)	euthanasia	eutanasia (f)
examinar (vtr)	examine, to	examinar (vtr)
explorar (vtr)	explore, to	explorar (vtr)

F

falta (f)	lack	falta (f)
faringitis (f)	pharyngitis	faringitis (f)
farmàcia (f)	pharmacy	farmacia (f)
farmaciola (f)	first-aid kit	botiquín (m)
febre (f)	fever	fiebre (f)
febre del fenc (f)	hay fever	fiebre del heno (f)
febre groga (f)	yellow fever	fiebre amarilla (f)
febre tifoide (f)	typhoid fever	fiebre tifoidea (f)
fel (m)	gall	hiel (f)
femella (f)	female	hembra (f)
fer mal (vtr)	damage, to	dañar (vtr)
fer-se mal (vp)	hurt, to	hacerse daño (vp)
ferida (f)	wound	herida (f)
ferir-se (vp)	hurt, to	herir-se (vp)
fibril·lació (f)	fibrillation	fibrilación (f)
fisiologia (f)	physiology	fisiología (f)
flebitis (f)	phlebitis	flebitis (f)
flegmó (m)	phlegmon	flemón (m)
fluix (m)	flux	flujo (m)
fogot menopàusic (m)	menopausal flush	sofoco menopáusico (m)
fong (m)	fungus	hongo (m)
força (f)	strength	fuerza (f)
formigueig (m)	pins	hormigueo (m)
fractura òssia (f)	bone fracture	fractura ósea (f)
frambèsia (f)	frambesia	frambesia (f)
frec (m)	rub	roce (m)

fred/a (adj)	cold	frío/a (adj)
fremiment (m)	thrill	frémito (m)
freqüència (f)	rate	frecuencia (f)
fumar (vtr)	smoke, to	fumar (vtr)
funció hepàtica (f)	liver function	función hepática (f)
furóncol (m)	furuncle	furúnculo (m)

G

galteres (fpl)	mumps	paperas (fpl)
gangli (m)	ganglion	ganglio (m)
gangrena (f)	gangrene	gangrena (f)
gasa (f)	gauze	gasa (f)
gastritis (f)	gastritis	gastritis (f)
gastroenteritis (f)	gastroenteritis	gastroenteritis (f)
gelea (f)	jelly	jalea (f)
gen (m)	gene	gen (m)
genètica (f)	genetics	genética (f)
germà bessó (m)	twin brother	hermano gemelo (m)
germana bessona (f)	twin sister	hermana gemela (f)
ginecologia (f)	gynecology	ginecología (f)
gingivitis (f)	gingivitis	gingivitis (f)
glop (m)	sip	sorbo (m)
glopejar (vtr)	wash out, to	enjuagar (vtr)
glucèmia (f)	blood sugar	glucemia (f)
glucosúria (f)	glycosuria	glucosuria (f)
goll (m)	goiter	bocio (m)
gonorrea (f)	gonorrhoea	gonorrea (f)
gota (f)	gout	gota (f)
gotes (fpl)	drops	gotas (fpl)
granulòcit (m)	granulocyte	granulocito (m)
gras / grassa (adj)	fat	gordo/da (adj)
gravel·la urinària (f)	urinary gravel	arenilla urinaria (f)
grip (f)	influenza	gripe (f)
grogós/osa (adj)	yellowish	amarillento/ta (adj)
guanyar (vtr)	gain, to	ganar (vtr)
guix (m)	plaster	yeso (m)

H

hemiplegia (f)	hemiplegia	hemiplejía (f)
hemoglobina (f)	blood hemoglobin	hemoglobina (f)

hemoptisi (f)	hemoptysis	hemoptisis (f)
hemorràgia (f)	hemorrhage, bleeding	hemorragia (f)
hemorroide (f)	hemorrhoid	hemorroide (f)
hepatitis (f)	hepatitis	hepatitis (f)
hereditari/ària (adj)	hereditary	hereditario/ria (adj)
hèrnia (f)	hernia	hernia (f)
hèrnia escrotal (f)	scrotal hernia	hernia escrotal (f)
hèrnia inguinal (f)	inguinal hernia	hernia inguinal (f)
hèrnia umbilical (f)	umbilical hernia	hernia umbilical (f)
herpes zòster (m)	herpes zoster	herpes zóster (m)
hidrocefàlia (f)	hydrochepalus	hidrocefalia (f)
higiene dental (f)	dental care	higiene dental (f)
histèria (f)	hysteria	histeria (f)
història clínica (f)	medical history	historia clínica (f)
homeopatia (f)	homoeopathy	homeopatía (f)
hospital (m)	hospital	hospital (m)
humor (m)	mood	humor (m)

I

icterícia (f)	jaundice	ictericia (f)
immunosupressor (m)	immunosuppressant	inmunosupresor (m)
impotència (f)	impotence	impotencia (f)
incontinència urinària (f)	urine incontinence	incontinencia urinaria (f)
increment (m)	increase, raising	incremento (m)
infart (m)	infarct	infarto (m)
infecció (f)	infection	infección (f)
inferior (adj)	lower	inferior (adj)
infermer/a (m/f)	nurse	enfermero/ra (m/f)
inflamació (f)	inflammation	inflamación (f)
inflor (f)	swelling	hinchazón (m)
injecció (f)	injection	inyección (f)
inoculació (f)	inoculation	inoculación (f)
insolació (f)	sunstroke	insolación (f)
insomni (m)	insomnia, sleeplessness	insomnio (m)
insuficiència (f)	insufficiency	insuficiencia (f)
insuficiència circulatòria (f)	bad circulation	insuficiencia circulatoria (f)
internista (m/f)	internist	internista (m/f)
irritabilitat (f)	irritability	irritabilidad (f)

J

| jeure (vi) | lie, to | yacer (vi) |

L

laboratori (m)	laboratory	laboratorio (m)
laparoscòpia (f)	laparoscopy	laparoscopia (f)
laringitis (f)	laryngitis	laringitis (f)
laxant (adj)	laxative	laxante (adj)
laxant (m)	laxative	laxante (m)
lents de contacte (fpl)	contact lenses	lentes de contacto (fpl)
leucèmia (f)	leukemia	leucemia (f)
limfòcit (m)	lymphocyte	linfocito (m)
líquid cefaloraquidi (m)	cerebrospinal fluid	líquido cefalorraquídeo (m)
llaga (f)	sore	llaga (f)
llet (f)	milk	leche (f)
llevat (m)	yeast	levadura (f)
llit (m)	bed	cama (f)
llomadura (f)	low back pain	lumbago (m)
lòbul (m)	lobe	lóbulo (m)
lumbago (m)	lumbago	lumbago (m)
luxació (f)	luxation	luxación (f)

M

maduresa sexual (f)	sexual maturity	madurez sexual (f)
mà d'urpa (f)	claw hand	mano en garra (f)
mal alè (m)	bad breath	mal aliento (m)
malalt/a (adj)	ill	enfermo/ma (adj)
malaltia (f)	disease, illness	enfermedad (f)
malaltia actual (f)	present illness	enfermedad actual (f)
malaltia epidèmica (f)	epidemic disease	enfermedad epidémica (f)
malaltia venèria (f)	veneral disease	enfermedad venérea (f)
malària (f)	malaria	malaria (f)
mala vista (f)	defective vision	mala vista (f)
mal de coll (m)	sore throat	dolor de garganta (m)
mal de panxa (m)	stomachache	dolor de estómago (m)
mal de queixal (m)	tooth ache	dolor de muela (m)
mal d'orella (m)	earache	dolor de oído (m)
maligne/a (adj)	malign	maligno/na (adj)

manc/a (adj)	armless, one-armed	manco/ca (adj)
marcapassos (m)	pacemaker	marcapasos (m)
marronós/osa (adj)	brownish	marronoso/sa (adj)
màscara (f)	mask	máscara (f)
mascle (m)	male	macho (m)
mastegar (vtr)	chew, to	masticar (vtr)
masturbació (f)	masturbation	masturbación (f)
matriu (f)	womb	matriz (f)
medicina (f)	medicine	medicina (f)
medicina interna (f)	internal medicine	medicina interna (f)
medul·la òssia (f)	medulla ossium	médula ósea (f)
memòria (f)	memory	memoria (f)
meningitis (f)	meningitis	meningitis (f)
menjar (vtr)	eat, to	comer (vtr)
menopausa (f)	menopause	menopausia (f)
menstruació (f)	menstruation	menstruación (f)
metabolisme (m)	metabolism	metabolismo (m)
metge/essa (m/f)	physician	médico/ca (m/f)
microbiologia (f)	microbiology	microbiología (f)
migdiada (f)	nap	siesta (f)
migranya (f)	migrane	migraña (f)
millorar (vtr)	improve, to	mejorar (vtr)
mitjana (f)	mean	media (f)
mitja vida (f)	half life	media vida (f)
moll de l'os (m)	marrow	tuétano (f)
monyó (m)	stump	muñón (m)
mostra (f)	sample	muestra (f)
mostrar (vtr)	show, to	mostrar (vtr)
moure's (vp)	move, to	moverse (vp)
mullat/ada (adj)	wet	mojado/da (adj)
múscul (m)	muscle	músculo (m)

N

nadó (m)	baby	bebé (m)
naixement (m)	birth	nacimiento (m)
naixement prematur (m)	premature birth	nacimiento prematuro (m)
nansa (f)	loop	asa (m)
natrèmia (f)	blood sodium	natremia (f)
nàusea (f)	nausea	náusea (f)
nebulitzador (m)	spray	nebulizador (m)
nefritis (f)	nephritis	nefritis (f)

nervi (m)	nerve	nervio (m)
neuràlgia (f)	neuralgia	neuralgia (f)
neuritis (f)	neuritis	neuritis (f)
neuròleg/òloga (m/f)	neurologist	neurólogo/ga (m/f)
neurologia (f)	neurology	neurología (f)
neurosi (f)	neurosis	neurosis (f)
nounat (m)	newborn	recién nacido (m)

O

obstetrícia (f)	obstetrics	obstetricia (f)
ofegar-se (vp)	drown, to	ahogarse (vp)
oftalmologia (f)	ophthalmology	oftalmología (f)
olor (f)	smell	olor (m)
olorar (vtr)	smell, to	oler (vtr)
ona (f)	wave	onda (f)
operació (f)	operation	operación (f)
orella mitjana (f)	middle-ear	oído medio (m)
orina (f)	urine	orina (f)
orinar (vtr)	pass water, to	orinar (vtr)
os (m)	bone	hueso (m)
otitis (f)	otitis	otitis (f)
ozó (m)	ozone	ozono (m)

P

pacient (m/f)	patient	paciente (m/f)
palpitacions (fpl)	palpitation	palpitaciones (fpl)
paludisme (m)	paludism	paludismo (m)
pancreatitis (f)	pancreatitis	pancreatitis (f)
panteix (m)	whezee	jadeo (m)
paràlisi (f)	paralysis	parálisis (f)
paràsit (m)	parasite	parásito (m)
parentiu (m)	kinship	parentesco (m)
parir (vtr)	deliver, to	parir (vtr)
parla (f)	speech	habla (f)
parpellejar (vi)	blink, to	parpadear (vi)
part (m)	delivery	parto (m)
passar (vtr)	happen, to	pasar (vtr)
patir (vtr)	suffer, to	padecer (vtr)
pediatria (f)	pediatrics	pediatría (f)
peix (m)	fish	pescado (m)

Català	English	Español
pell (f)	skin	piel (f)
penetrant (adj)	sharp	penetrante (adj)
perdre (vtr)	lose, to	perder (vtr)
perdre el coneixement (vtr)	collapse, to	perder el conocimiento (vtr)
pèrdua (f)	loss	pérdida (f)
pèrdua de coneixement (f)	collapse	pérdida del conocimiento (f)
peritonitis (f)	peritonitis	peritonitis (f)
personal (m)	staff	personal (m)
pertorbació (f)	disturbance	perturbación (f)
pesat/ada (adj)	heavy	pesado/da (adj)
pesta (f)	pest	peste (f)
pet (m)	wind	pedo (m)
peu d'atleta (m)	athlete foot	pie de atleta (m)
pian (m)	yaws	pián (m)
picor (f)	needles	picor (m)
pielitis (f)	pyelitis	pielitis (f)
pigat/ada (adj)	freckly	pecoso/sa (adj)
píndola (f)	pill	pastilla (f)
pirosi (f)	pyrosis	pirosis (f)
plec (m)	fold	pliegue (m)
pneumònia (f)	pneumonia	neumonía (f)
poliomielitis (f)	poliomyelitis	poliomielitis (f)
pòlip nasal (m)	nasal polyp	pólipo nasal (m)
pols (m)	pulse	pulso (m)
pólvores (fpl)	powder	polvos (mpl)
potassèmia (f)	potassemia	potasemia (f)
preguntar (vtr)	ask, to	preguntar (vtr)
prescripció (f)	prescription	prescripción (f)
prescriure (vtr)	prescribe, to	prescribir (vtr)
preservatiu (m)	condom	preservativo (m)
pressió sanguínia (f)	blood pressure	presión sanguínea (f)
problema (m)	trouble	problema (m)
problemes de pròstata (mpl)	prostate trouble	problemas de próstata (mpl)
profund/a (adj)	deep	profundo/da (adj)
propagar (vtr)	spread, to	propagar (vtr)
prova (f)	test	prueba (f)
prova de l'embaràs (f)	pregnancy test	prueba del embarazo (f)
provar (vtr)	test, to	probar (vtr)
psicologia (f)	psychology	psicología (f)

psiquiatria (f)	psychiatry	psiquiatría (f)
pulsatiu/iva (adj)	throbbing	pulsátil (adj)
punció (f)	puncture	punción (f)
punció lumbar (f)	lumbar puncture	punción lumbar (f)
punxada (f)	shot, stitch	pinchazo (m)
punxant (adj)	stabbing	punzante (adj)
puny (m)	fist	puño (m)
pus (m)	pus	pus (m)
pústula (f)	pustule	pústula (f)

Q

quadre hematològic (m)	blood picture	cuadro hematológico (m)
quadrigemin/èmina (adj)	quadruplet	cuadrigémino/na (adj)
quarantena (f)	quarantine	cuarentena (f)
quartana (f)	quartan	cuartana (f)
queloide (m)	keloid	queloide (m)
quintigemin/èmina (adj)	quintuplet	quintigémino/na (adj)
quiròfan (m)	operating room	quirófano (m)
quist (m)	cyst	quiste (m)
quist renal (m)	renal cyst	quiste renal (m)
quocient (m)	quotient	cociente (m)

R

ràbia (f)	rabies	rabia (f)
raig (m)	jet	chorro (m)
raig (m)	ray	rayo (m)
raigs infrarojos (mpl)	infrared rays	rayos infrarojos (mpl)
raigs X (mpl)	X-ray	rayos X (mpl)
rampa (f)	cramp	rampa (f)
raquitisme (m)	rachitism	raquitismo (m)
reaccionar (vi)	react, to	reaccionar (vi)
rebre (vtr)	receive, to	recibir (vtr)
recaiguda (f)	relapse	recaída (f)
recepta (f)	prescription	receta (f)
receptar (vtr)	prescribe, to	recetar (vtr)
recerca (f)	research	investigación (f)
recuperació (f)	recovery	recuperación (f)
recuperar-se (vp)	recover, to	recuperarse (vp)
regurgitació (f)	regurgitation	regurgitación (f)
relacions sexuals (fpl)	sexual intercourse	relaciones sexuales (fpl)

rentada gàstrica (f)	gastric lavage	lavado gástrico (m)
rentar (vtr)	wash, to	lavar (vtr)
respiració (f)	respiration	respiración (f)
respondre (vtr)	answer, to	contestar (vtr)
ressonància magnètica (f)	magnetic resonace	resonancia magnética (f)
restrenyiment (m)	constipation	estreñimiento (m)
retenció urinària (f)	urine retention	retención urinaria (f)
reticulòcit (m)	reticulocyte	reticulocito (m)
retroacció (f)	feedback	retroacción (f)
reumatisme (m)	rheumatism	reumatismo (m)
rígid/a (adj)	stiff	rígido/da (adj)
rigidesa (f)	stiffness	rigidez (f)
rinitis (f)	rhinitis	rinitis (f)
risc (m)	risk	riesgo (m)
roncar (vi)	snore, to	roncar (vi)
rot (m)	belch	eructo (m)
rubèola (f)	rubella	rubéola (f)
ruptura de lligaments (f)	torn	rotura de ligamentos (f)
ruptura fibril·lar (f)	rupture of the muscle	rotura fibrilar (f)

S

sa / sana (adj)	healthy	sano/na (adj)
sal (f)	salt	sal (f)
saliva (f)	saliva	saliva (f)
salpingitis (f)	salpingitis	salpingitis (f)
salut (f)	health	salud (f)
sang (f)	blood	sangre (f)
sanglot (m)	sob	sollozo (m)
sanglotar (vi)	sob, to	sollozar (vi)
sarcoma (m)	sarcoma	sarcoma (m)
sec/a (adj)	dry	seco/ca (adj)
secreció hormonal (f)	discharge (hormone)	secreción hormonal (f)
sedant (m)	sedative	sedante (m)
sedimentació (f)	sedimentation	sedimentación (f)
semivida (f)	half life	semivida (f)
sentir (vtr)	feel, to	sentir (vtr)
sentit (m)	sense	sentido (m)
sèpsia (f)	blood poisoning, sepsis	sepsis (f)
servei nocturn (m)	night-duty	servicio nocturno (m)
sexe (m)	sex	sexo (m)
sífilis (f)	syphilis	sífilis (f)

sinapsi (f)	synapsis	sinapsis (f)
sinusitis (f)	sinusitis	sinusitis (f)
sobreeiximent (m)	overflow	rebosamiento (m)
sofrir (vtr)	suffer, to	sufrir (vtr)
somnàmbul/a (m/f)	sleepwalker	sonámbulo/la (m/f)
somni (m)	dream	sueño (m)
sordesa (f)	deafness	sordera (f)
sorollós/osa (adj)	loud	ruidoso/sa (adj)
suc gàstric (m)	gastric juice	jugo gástrico (m)
sucre (m)	sugar	azúcar (m)
sufocació (f)	blushing	sofoco (m)
suor (f)	sweat	sudor (m)
superior (adj)	upper	superior (adj)
supuració (f)	suppuration	supuración (f)

T

tard (adv)	late	tarde (adv)
tastar (vtr)	taste, to	probar, degustar (vtr)
te (m)	tea	té (m)
temperatura (f)	temperature	temperatura (f)
temps de renovació (m)	turnover	recambio (m)
tendosinovitis (f)	tendosynovitis	tendosinovitis (f)
tènia (f)	tapeworm	tenia (f)
teràpia (f)	therapy	terapia (f)
termòmetre (m)	thermometer	termómetro (m)
testicle (m)	testicle	testículo (m)
tètan (m)	tetanus	tétano (m)
tetània (f)	tetany	tetania (f)
tètanus (m)	tetanus	tétanos (m)
tocar (vtr)	touch, to	tocar (vtr)
tomografia (f)	tomography	tomografía (f)
tonsil·litis (f)	tonsillitis	tonsilitis (f)
torçada (f)	sprain	torcedura (f)
torticoli (m)	wryneck	tortícolis (m)
tos (f)	cough	tos (f)
tos ferina (f)	whooping cough	tos ferina (f)
tos seca (f)	drycough	tos seca (f)
tou / tova (adj)	soft	blando/da (adj)
tractament (m)	treatment	tratamiento (m)
tractar (vtr)	treat, to	tratar (vtr)
transfusió (f)	transfusion	transfusión (f)

transfusió de sang (f)	blood transfusion	transfusión de sangre (f)
trastorn (m)	disorder	trastorno (m)
traumatologia (f)	traumatology	traumatología (f)
tremolar (vi)	shiver, to	temblar (vi)
tremolor (m)	shiver, tremor	temblor (m)
trombosi (f)	thrombosis	trombosis (f)
tuberculosi (f)	tuberculosis	tuberculosis (f)
tumor (m)	tumor	tumor (m)

U

úlcera (f)	ulcer	úlcera (f)
ulleres (fpl)	glasses	gafas (fpl)
ungüent (m)	ointment	pomada (f)
urea (f)	urea	urea (f)
urèmia (f)	uremia	uremia (f)
urgència (f)	emergency	urgencia (f)
urticària (f)	urticaria	urticaria (f)
úter (m)	uterus	útero (m)

V

vaccí (m)	vaccine	vacuna (f)
vacuna (f)	vaccine	vacuna (f)
vàlvula (f)	valve	válvula (f)
vàlvula cardíaca (f)	heart valve	válvula cardíaca (f)
varicel·la (f)	chickenpox	varicela (f)
vegetal (adj)	vegetable	vegetal (adj)
vena (f)	vein	vena (f)
venes varicoses (fpl)	varicose veins	venas varicosas (fpl)
verdura (f)	vegetables	verduras (fpl)
vermellós/osa (adj)	reddish	rojizo/za (adj)
verola (f)	smallpox	viruela (f)
vertigen (m)	dizziness	vértigo (m)
vessament pleural (m)	pleurisy	derrame pleural (m)
vestir-se (vp)	get dressed, to	vestirse (vp)
veure (vtr)	see, to	ver (vtr)
virus (m)	virus	virus (m)
visitar (vtr)	visit, to	visitar (vtr)
vista (f)	sight	vista (f)
vitamina (f)	vitamine	vitamina (f)
vòmit (m)	vomit	vómito (m)

vomitar (vtr)   vomit, to   vomitar (vtr)

X

xampú (m)	shampoo	champú (m)
xantelasma (m)	xanthelasma	xantelasma (m)
xarampió (m)	measles	sarampión (m)
xarop (m)	syrup	jarabe (m)
xarrupar (vtr)	sip, to	sorber (vtr)
xarxa (f)	net	red (f)
xeringa (f)	syringe	jeringa (f)
xeroftalmia (f)	xerophthalmia	xeroftalmía (f)
xerosi (f)	xerosis	xerosis (f)
xifoide (adj)	xiphoid	xifoides (adj)
xoc (m)	shock	choque (m)

Z

zelotípia (f)	zelotypia	celotipia (f)
zigomàtic/a (adj)	zygomatic	cigomático/ca (adj)
zigot (m)	zygote	cigoto (m)
zona d'urgències (f)	emergency area	zona de urgencias (f)
zònula (f)	zonula	zónula (f)
zoonosi (f)	zoonosis	zoonosis (f)

2.

ELS MEMBRES DE LA FAMÍLIA	FAMILY MEMBERS	LOS MIEMBROS DE LA FAMILIA
l'àvia	grandmother	la abuela
l'avi	grandfather	el abuelo
la mare	mother	la madre
el pare	father	el padre
la filla	daughter	la hija
el fill	son	el hijo
la germana	sister	la hermana
el germà	brother	el hermano
la dona	wife	la mujer
el marit	husband	el marido
la tia	aunt	la tía
l'oncle	uncle	el tío
la cosina	cousin	la prima
el cosí	cousin	el primo
la neboda	niece	la sobrina
el nebot	nephew	el sobrino
els parents	relatives	los parientes

3.

ELS COLORS	COLOURS	LOS COLORES
blanc	white	blanco
blau	blue	azul
gris	grey	gris
groc	yellow	amarillo
grogós	yellowish	amarillento
marró	brown	marrón
marronós	brownish	marronoso
negre	black	negro
porpra	purple	púrpura
roig	red	rojo
rosa	pink	rosa
verd	green	verde
verdós	greenish	verdoso
vermell	red	rojo
vermellós	reddish	rojizo

4.

LES PROFESSIONS	OCCUPATIONS	LAS PROFESIONES
artista	artist	artista
aturat/ada	unemployed	desempleado/da
caixer/a	bank-clerk	cajero/ra
cambrer/a	waiter	camarero/ra
capellà	priest	sacerdote
carnisser/a	butcher	carnicero/ra
conductor/a	driver	conductor/ra
electricista	electrician	electricista
estibador/a	docker	estibador/ra
forner/a	baker	panadero/ra
fotògraf/a	photographer	fotógrafo/fa
fuster/a	carpenter	carpintero/ra
gerent	manager	gerent
infermer/a	nurse	enfermero/ra
jardiner/a	gardener	jardinero/ra
llevadora, llevador	midwife, manmidwife	comadrona
mariner/a	sailor	marinero/ra
mecànic/a	mechanic	mecánico/ca
mecanògraf/a	typist	mecanógrafo/fa
mestre/a	teacher	maestro/tra
metge/essa	doctor	médico/ca
miner/a	miner	minero/ra
modista	dressmaker	modista
monja	nun	monja
monjo	monk	monje
músic/a	musician	músico/ca
obrer/a	worker	obrero/ra
oficinista	clerk	oficinista
òptic/a	optician	óptico/ca
pagès/esa	farmer	campesino/na
paleta	bricklayer	albañil
pastor/a	shepherd	pastor/ra
peixater/a	fishmonger / fishwile	pescadero/a
perruquer/a	hairdresser	peluquero/ra
policia	policeman	policía
porter/a	porter	portero/ra
sastre/essa	taylor	sastre/tra
secretari/ària	secretary	secretario/ria
soldat/ada	soldier	soldado

| tècnic/a | technician | técnico/ca |
| venedor/a | clerck | vendedor/ra |

5.

ELS NOMBRES	NUMBERS	LOS NÚMEROS
1. un	one	uno
2. dos	two	dos
3. tres	three	tres
4. quatre	four	cuatro
5. cinc	five	cinco
6. sis	six	seis
7. set	seven	siete
8. vuit	eight	ocho
9. nou	nine	nueve
10. deu	ten	diez
11. onze	eleven	once
12. dotze	twelve	doce
13. tretze	thirteen	trece
14. catorze	fourteen	catorce
15. quinze	fifteen	quince
16. setze	sixteen	dieciséis
17. disset	seventeen	diecisiete
18. divuit	eighteen	dieciocho
19. dinou	nineteen	diecinueve
20. vint	twenty	veinte
21. vint-i-un	twenty-one	veintiuno
22. vint-i-dos	twenty-two	veintidós
23. vint-i-tres	twenty-three	veintitrés
24. vint-i-quatre	twenty-four	veinticuatro
25. vint-i-cinc	twenty-five	veinticinco
30. trenta	thirty	treinta
40. quaranta	fourty	cuarenta
50. cinquanta	fifty	cincuenta
60. seixanta	sixty	sesenta
70. setanta	seventy	setenta
80. vuitanta	eighty	ochenta
90. noranta	ninety	noventa
100. cent	one hundred	cien
200. dos-cents	two hundred	doscientos
300. tres-cents	three hundred	trescientos
1.000. mil	one thousand	mil

2.000. dos mil	two thousand	dos mil
10.000 deu mil	ten thousand	diez mil
1×10^5. cent mil	a hundred thousand	cien mil
1×10^6. un milió	one million	un millón

primer	first	primero
segon	second	segundo
tercer	third	tercero
una vegada	once	una vez
dues vegades	twice	dos veces
tres vegades	three times	tres veces
un quart	a quarter	un cuarto
un terç	a third	un tercio
una meitat	a half	una mitad
un enter	a whole / an entire	un entero
'a' més 'b'	'a' plus 'b'	'a' más 'b'
'a' menys 'b'	'a' minus 'b'	'a' menos 'b'
'a' multiplicat per 'b'	'a' multiplied by 'b'	'a' multiplicado por 'b'
'a' dividit per 'b'	'a' divided by 'b'	'a' dividido por 'b'
'a' igual a 'b'	'a' equal 'b'	'a' igual a 'b'
per cent	per cent	por ciento

6.

EXPRESSIONS DE TEMPS	TIME ADVERBS	EXPRESIONES DE TIEMPO
avui	today	hoy
demà	tomorrow	mañana
demà passat	the day after tomorrow	pasado mañana
ahir	yesterday	ayer
abans-d'ahir	the day before yesterday	anteayer
aquesta setmana	this week	esta semana
la setmana vinent	next week	la próxima semana
la setmana passada	last week	la semana pasada
aviat	soon	pronto
més tard	later	más tarde
fa poc temps	a short time ago	hace poco
durant poc temps	during a short period	durante poco tiempo
fa molt temps	a long time ago	hace mucho tiempo
durant molt temps	during a long period	durante mucho tiempo
l'endemà	the following day	el día siguiente
el dia abans	the day before	el día antes, el día anterior

al matí	in the morning	por la mañana
al migdia	at noon	al mediodía
a la tarda	in the afternoon	por la tarde
al capvespre	in the evening	al atardecer
a la nit	at night	por la noche
dia / dies	day / days	día / días
hora / hores	hour / hours	hora / horas
minut / minuts	minute / minutes	minuto / minutos
segon / segons	second / seconds	segundo / segundos

7.

EXPRESSIONS DE LOCALITZACIÓ	LOCATION ADVERBS	EXPRESIONES DE LOCALIZACIÓN
a dalt	up	arriba
a baix	down	abajo
dreta	right	derecha
esquerra	left	izquierda
a mà dreta	on the right-handside	a mano derecha
a mà esquerra	on the left-handside	a mano izquierda
davant	in front	delante
darrere	behind	detrás
al costat de	at the side of	al lado de
dins	in	dentro
fora	out	fuera
entre	between	entre
prop de	near	cerca de
lluny de	far away from	lejos de
al voltant	around	alrededor
al començament	at the beginning	al principio
al final de	at the end of	al final de
al punt més alt	at the top	al punto más alto
al fons	at the bottom	al fondo
la cantonada	corner	la esquina
el marge	edge	el borde
el costat	side	el lado
la part de darrere	back	la parte trasera
la part de davant	front	la parte delantera
l'amplada	width	la anchura
l'alçada	height	la altura
la profunditat	depth	la profundidad
la longitud	length	la longitud

8.

ELS DIES DE LA SETMANA	DAYS OF THE WEEK	LOS DÍAS DE LA SEMANA
dilluns	Monday	lunes
dimarts	Tuesday	martes
dimecres	Wednesday	miércoles
dijous	Thursday	jueves
divendres	Friday	viernes
dissabte	Saturday	sábado
diumenge	Sunday	domingo

9.

ELS MESOS DE L'ANY	MONTHS OF THE YEAR	LOS MESES DEL AÑO
gener	January	enero
febrer	February	febrero
març	March	marzo
abril	April	abril
maig	May	mayo
juny	June	junio
juliol	July	julio
agost	August	agosto
setembre	September	septiembre
octubre	October	octubre
novembre	November	noviembre
desembre	December	diciembre

10.

LES ESTACIONS DE L'ANY	SEASONS OF THE YEAR	LAS ESTACIONES DEL AÑO
la primavera	Spring	la primavera
l'estiu	Summer	el verano
la tardor	Fall	el otoño
l'hivern	Winter	el invierno

11.
ALGUNS VERBS ÚTILS

ALGUNS VERBS ÚTILS	SOME USEFUL VERBS	ALGUNOS VERBOS ÚTILES
adonar-se	to notice	darse cuenta
agafar	to take	coger, tomar
agenollar-se	to kneel	arrodillarse
agradar	to like	gustar
aixecar-se	to stand up	levantarse
ajeure	to lay	acostar
amagar	to hide	esconder
analitzar	to analyse	analizar
anar	to go	ir
arribar	to arrive	llegar
ballar	to dance	bailar
beure	to drink	beber
bufar	to blow	soplar
buscar	to look for	buscar
caminar	to walk	caminar
cantar	to sing	cantar
capbussar-se	to dive	sumergirse
caure	to fall	caer
cavar	to dig	cavar
comprar	to buy	comprar
conduir	to drive	conducir
connectar	to connect	conectar
córrer	to run	correr
cosir	to sew	coser
cuidar	to look after	cuidar
curar	to cure	curar
deixar	to leave	dejar
descansar	to rest	descansar
descobrir	to discover	descubrir
destruir	to destroy	destruir
dibuixar	to draw	dibujar
disparar	to shoot	disparar
distribuir	to hand out	distribuir
divertir-se	to enjoy	divertirse
donar	to give	dar
empènyer	to push	empujar
encarregar-se	to take care of	encargarse
escoltar	to listen to	escuchar

escombrar	to sweep	barrer
escriure	to write	escribir
esperar	to wait	esperar
estimar	to love	querer
estirar	to pull	estirar
estripar	to tear	rasgar
fer-se mal	to hurt	hacerse daño
forçar	to force	forzar
fumar	to smoke	fumar
gatejar	to crawl	gatear
guanyar	to earn	ganar
guanyar	to win	ganar
llegir	to read	leer
llepar	to lick	lamer
lligar	to tie	atar
lluitar	to fight	luchar
menjar	to eat	comer
mentir	to lie	mentir
mesurar	to mesure	medir
muntar	to ride	montar
navegar	to sail	navegar
nedar	to swim	nadar
obrir	to open	abrir
observar	to observe	observar
ofegar-se	to drown	ahogarse
ordenar	to order	ordenar
pagar	to pay	pagar
parlar	to speak	hablar
perdre	to lose	perder
pintar	to paint	pintar
plorar	to cry	llorar
portar	to carry	llevar
pujar	to climb	subir
remenar	to stir	remover
rentar	to wash	lavar
repartir	to hand out	repartir
riure	to laugh	reír
robar	to steal	robar
saltar	to jump	saltar
sentir	to feel	sentir
seure	to sit	sentarse
somniar	to dream	soñar

somriure	to smile	sonreír
sortir de	to leave	salir de
tallar	to cut	cortar
tancar	to shut	cerrar
tenir cura de	to take care of	cuidar de
tocar	to touch	tocar
tornar	to come back	volver
tractar	to treat	tratar
trencar	to break	romper
trobar	to find	encontrar
vendre	to sell	vender
veure	to watch	ver
viatjar	to travel	viajar
vigilar	to llok after	vigilar
volar	to fly	volar

12.

LES ESPECIALITATS BIOMÈDIQUES	BIOMEDICAL SPECIALITIES	LAS ESPECIALIDADES BIOMÉDICAS
l'al·lergòleg/òloga	allergologist	el/la alergólogo/ga
l'al·lergologia	allergology	la alergología
l'anatomia	anatomy	la anatomía
l'anatomia patològica	anatomic pathology	la anatomía patológica
l'anatomista	anatomist	el/la anatomista
l'anatomopatòleg/òloga	anatomic pathologist	el/la anatomopatólogo/ga
la bioestadística	biostatistics	la bioestadística
el/la biofísic/a	biophysicist	el/la biofísico/ca
la biofísica	biophysics	la biofísica
el/la biòleg/òloga	biologist	el/la biólogo/ga
la biologia	biology	la biología
el/la bioquímic/a	biochemist	el/la bioquímico/ca
la bioquímica	biochemistry	la bioquímica
el/la cardiòleg/òloga	cardiologist	el/la cardiólogo/ga
la cardiologia	cardiology	la cardiología
el/la cirurgià/ana	surgeon	el/la cirujano/na
la cirurgia general	general surgery	la cirugía general
el/la dermatòleg/òloga	dermatologist	el/la dermatólogo/ga
la dermatologia	dermatology	la dermatología
el/la digestòleg/òloga	digestologist	el/la digestólogo/ga
la digestologia	digestology	la digestología
l'endocrinòleg/òloga	endocrinologist	el/la endocrinólogo/ga

l'endocrinologia	endocrinology	la endocrinología
l'epidemiòleg/òloga	epidemiologist	el/la epidemiólogo/ga
l'epidemiologia	epidemiology	la epidemiología
el/la farmacòleg/òloga	pharmacologist	el/la farmacólogo/ga
la farmacologia	pharmacology	la farmacología
el/la fisiòleg/òloga	physiologist	el/la fisiólogo/ga
la fisiologia	physiology	la fisiología
la genètica	genetics	la genética
el/la genetista	geneticist	el/la genetista
el/la geriatre/a	geriatrician	el/la geriatra
la geriatria	geriatrics	la geriatría
el/la ginecòleg/òloga	gynecologist	el/la ginecólogo/ga
la ginecologia	gynecology	la ginecología
l'hematòleg/òloga	hematologist	el/la hematólogo/ga
l'hematologia	hematology	la hematología
l'/la històleg/òloga	histologist	el/la histólogo/la
la histologia	histology	la histología
l'/la immunòleg/òloga	immunologist	el/la inmunólogo/ga
la immunologia	immunology	la inmunología
l'/la internista	internist	el/la internista
la medicina intensiva	intensive medicine	la medicina intensiva
la medicina interna	internal medicine	la medicina interna
la medicina preventiva	preventive medicine	la medicina preventiva
el/la microbiòleg/òloga	microbiologist	el/la microbiólogo/ga
la microbiologia	microbiology	la microbiología
el/la nefròleg/òloga	nephrologist	el/la nefrólogo/ga
la nefrologia	nephrology	la nefrología
la neurocirurgia	neurosurgery	la neurocirugía
el/la neurocirurgià/ana	neurosurgeon	el/la neurocirujano/na
el/la neuròleg/òloga	neurologist	el/la neurólogo/ga
la neurologia	neurology	la neurología
l'obstetrícia	obstetrics	la obstetricia
l'oftalmòleg/òloga	ophthalmologist	el/la oftalmólogo/ga
l'oftalmologia	ophthalmology	la oftalmología
l'oncòleg/òloga	oncologist	el/la oncólogo/ga
l'oncologia	oncology	la oncología
l'otorinolaringologia	otorrinolaringology	la otorrinolaringología
el/la pediatre/a	pediatrician	el/la pediatra
la pediatria	pediatrics	la pediatría
el/la pneumòleg/òloga	pneumologist	el/la neumólogo/ga
la pneumologia	pneumology	la neumología
el/la psicòleg/òloga	psychologist	el/la psicólogo/ga

la psicologia	psychology	la psicología
el/la psiquiatre/a	psychiatrist	el/la psiquiatra
la psiquiatria	psychiatry	la psiquiatría
el/la radiòleg/òloga	radiologist	el/la radiólogo/ga
la radiologia	radiology	la radiología
el/la reumatòleg/òloga	rheumatologist	el/la reumatólogo/ga
la reumatologia	rheumatology	la reumatología
el/la traumatòleg/òloga	traumatologist	el/la traumatólogo/ga
la traumatologia	traumatology	la traumatología
l'/la uròleg/òloga	urologist	el/la urólogo/ga
la urologia	urology	la urología

PETIT ATLES D'ANATOMIA
SMALL ATLAS OF ANATOMY
PEQUEÑO ATLAS DE ANATOMÍA

1.

EL COS HUMÀ (HOME)	THE HUMAN BODY (MAN)	EL CUERPO HUMANO (HOMBRE)
1. el crani	skull	el cráneo
2. el front	forehead	la frente
3. la templa	temple	la sien
4. la cara	face	la cara
5. l'orella	ear	la oreja
6. la nou del coll	Adam's apple	la nuez de Adán
7. l'espatlla	shoulder	el hombro
8. l'axil·la	armpit	la axila
9. el mugró	nipple	el pezón
10. el pit	breast	el pecho
11. el pit	chest	el pecho
12. el tòrax	thorax	el tórax
13. el melic	navel	el ombligo
14. l'abdomen	abdomen	el abdomen
15. l'engonal	groin	la ingle
16. el pubis	pubis	el pubis
17. el penis	penis	el pene
18. l'escrot	scrotum	el escroto
19. el genoll	knee	la rodilla
20. el turmell	ankle	el tobillo
21. el peu	foot	el pie
22. els dits del peu	toes	los dedos del pie

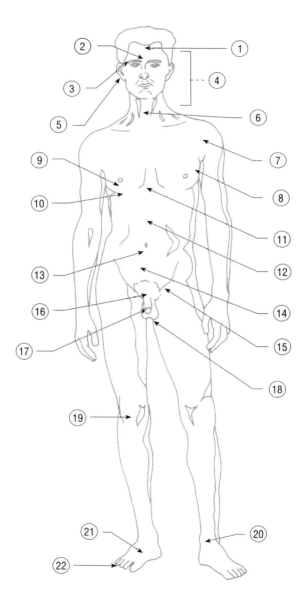

1.

EL COS HUMÀ (HOME)	THE HUMAN BODY (MAN)	EL CUERPO HUMANO (HOMBRE)
1. el cap	head	la cabeza
2. els cabells	hair	el pelo
3. el coll	neck	el cuello
4. la nuca	nape	la nuca
5. el tronc	trunk	el tronco
6. l'esquena	back	la espalda
7. la cintura	waist	la cintura
8. el maluc	hip	la cadera
9. el llom	loin	el lomo
10. l'omòplat	shoulder blade	el omóplato
11. el braç	arm	el brazo
12. el colze	elbow	el codo
13. l'avantbraç	forearm	el antebrazo
14. el canell	wrist	la muñeca
15. la mà	hand	la mano
16. la cama	leg	la pierna
17. el solc de les natges	posterior rugae	el pliegue de las nalgas
18. la natja	buttock	la nalga
19. la cuixa	thigh	el muslo
20. el panxell de la cama	calf	la pantorrilla
21. el peu	foot	el pie
22. el taló	heel	el talón

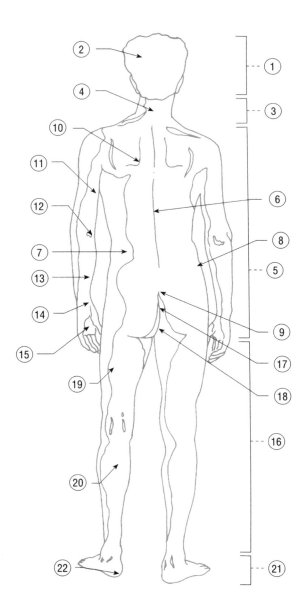

2.

EL COS HUMÀ (DONA)	THE HUMAN BODY (WOMAN)	EL CUERPO HUMANO (MUJER)
1. l'ull	eye	el ojo
2. el nas	nose	la nariz
3. la galta	cheek	la mejilla
4. la boca	mouth	la boca
5. el mentó	chin	el mentón
6. el coll	neck	el cuello
7. l'espatlla	shoulder	el hombro
8. l'axil·la	armpit	la axila
9. el mugró	nipple	el pezón
10. els pits, les mamelles	breast	los pechos, las mamas
11. el pit	chest	el pecho
12. el tòrax	thorax	el tórax
13. el melic	navel	el ombligo
14. l'abdomen	abdomen	el abdomen
15. l'engonal	groin	la ingle
16. el pubis	pubis	el pubis
17. la vulva	vulva	la vulva
18. el genoll	knee	la rodilla
19. el turmell	ankle	el tobillo
20. el peu	foot	el pie
21. els dits del peu	toes	los dedos del pie

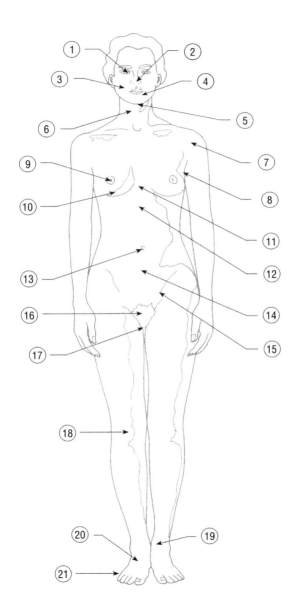

2.

EL COS HUMÀ (DONA)	THE HUMAN BODY (WOMAN)	EL CUERPO HUMANO (MUJER)
1. el cap	head	la cabeza
2. els cabells	hair	el pelo
3. el coll	neck	el cuello
4. la nuca	nape	la nuca
5. el tronc	trunk	el tronco
6. l'esquena	back	la espalda
7. la cintura	waist	la cintura
8. el maluc	hip	la cadera
9. el llom	loin	el lomo
10. l'omòplat	shoulder blade	el omóplato
11. el braç	arm	el brazo
12. el colze	elbow	el codo
13. l'avantbraç	forearm	el antebrazo
14. el canell	wrist	la muñeca
15. la mà	hand	la mano
16. la cama	leg	la pierna
17. el solc de les natges	posterior rugae	el pliegue de las nalgas
18. la natja	buttock	la nalga
19. la cuixa	thigh	el muslo
20. el panxell de la cama	calf	la pantorrilla
21. el peu	foot	el pie
22. el taló	heel	el talón

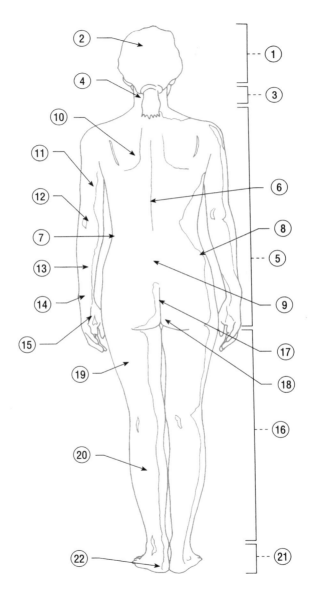

3.

EL SENTIT DE LA VISTA	SENSE OF SIGHT	EL SENTIDO DE LA VISTA
1. la cella	eyebrow	la ceja
2. la parpella superior	upper eyelid	el párpado superior
3. la pestanya	eyelash	la pestaña
4. la pupil·la	pupil	la pupila
5. el conducte llagrimal	lacrimal duct	el conducto lagrimal
6. l'escleròtica	sclera	la esclerótica
7. l'iris	iris	el iris
8. la parpella inferior	lower eyelid	el párpado inferior

1. el cristal·lí	lens	el cristalino
2. la cambra posterior	posterior chamber	la cámara posterior
3. la cambra anterior	anterior chamber	la cámara anterior
4. la còrnia	cornea	la córnea
5. la pupil·la	pupil	la pupila
6. l'humor aquós	aqueous humor	el humor acuoso
7. la conjuntiva	conjuctiva	la conjuntiva
8. l'iris	iris	el iris
9. el lligament suspensor	suspensory ligament	el ligamento suspensorio
10. el cos ciliar	ciliary body	el cuerpo ciliar
11. el múscul recte lateral	lateral rectus muscle	el músculo recto lateral
12. l'humor vitri	vitreous humor	el humor vítreo
13. la papil·la	papilla	la papila
14. el nervi òptic	optic nerve	el nervio óptico
15. la fòvea	fovea	la fóvea
16. la retina	retina	la retina
17. la làmina coroide	choroid	la lámina coroides
18. l'escleròtica	sclera	la esclerótica
19. el múscul recte medial	medial rectus muscle	el músculo recto medial

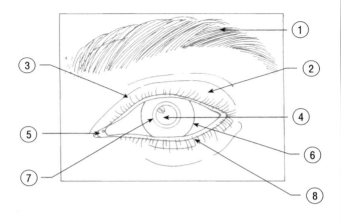

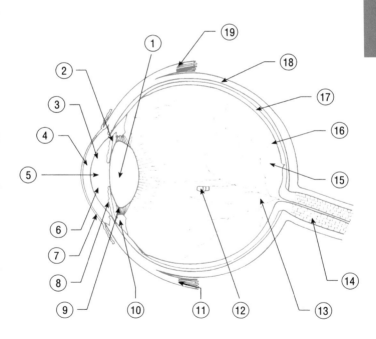

4.
EL SENTIT DE L'OLFACTE

SENSE OF SMELL

EL SENTIDO DEL OLFATO

1. l'arrel del nas	root of nose	la raíz de la nariz
2. el dors del nas	dorsum of nose	el dorso de la nariz
3. l'ala del nas	ala	el ala nasal
4. els narius	naris	el orificio nasal
5. la punta del nas	tip of nose	la punta de la nariz
6. el septe nasal	septum	el tabique nasal
7. el filtre nasal	philtrum	el filtrum nasal

1. el si frontal	frontal sinus	el seno frontal
2. l'os nasal	nasal bone	el hueso nasal
3. la làmina cribriforme de l'etmoide	cribriform plate of ethmoid	la lámina cribriforme del etmoides
4. el cornet superior	superior concha	el cornete superior
5. el cornet mitjà	middle concha	el cornete medio
6. el si esfenoïdal	sphenoidal sinus	el seno esfenoidal
7. el cartílag septal	septal cartilag	el cartílago septal
8. el cornet inferior	inferior concha	el cornete inferior
9. el cartílag alar major	greater alar cartilag	el cartílago alar mayor
10. la maxil·la	maxilla	la maxila
11. el paladar dur	hard palate	el paladar duro
12. la nasofaringe	nasopharynx	la nasofaringe
13. la trompa d'Eustaqui	Eustachian tube	la trompa de Eustaquio
14. el paladar tou	soft palate	el paladar blando
15. l'úvula	uvula	la úvula

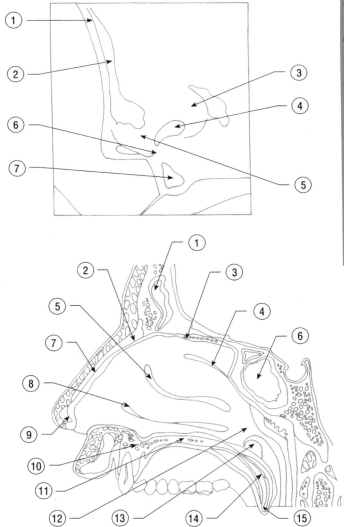

5.

EL SENTIT DEL GUST	SENSE OF TASTE	EL SENTIDO DEL GUSTO
1. el llavi superior	upper lip	el labio superior
2. la geniva	gum	la encía
3. l'arcada dental superior	superior dental arch	la arcada dental superior
4. el paladar dur	hard palate	el paladar duro
5. l'istme de la gola	isthmus of fauces	el istmo de las fauces
6. el paladar tou	soft palate	el paladar blando
7. la comissura dels llavis de la boca	commissure of lips of mouth	la comisura labial
8. l'arc palatoglòs	palatoglossal arch	el arco palatogloso
9. la llengua	tongue	la lengua
10. l'amígdala	tonsil	la amígdala
11. l'úvula	uvula	la úvula
12. l'arcada dental inferior	inferior dental arch	la arcada dental inferior
13. el llavi inferior	lower lip	el labio inferior
1. l'epiteli olfactori	Brunns' membrane	el epitelio olfatorio
2. el bulb olfactori	olfactory bulbe	el bulbo olfatorio
3. el nervi olfactori	olfactory nerve	el nervio olfatorio
4. la membrana olfactòria	olfactory membrane	la membrana olfatoria
5. la llengua	tongue	la lengua
6. l'epiglotis	epiglottis	la epiglotis
7. la glotis	glottis	la glotis
8. la laringe	larynx	la laringe
9. l'esòfag	esophagus	el esófago

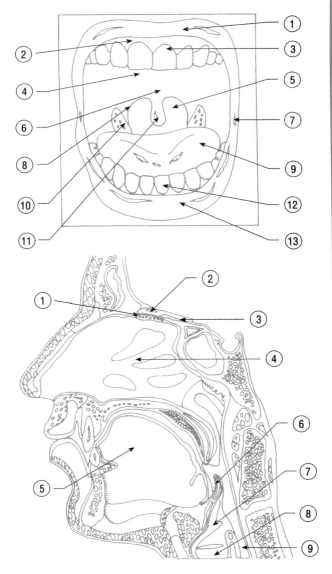

6.

ELS MÚSCULS	THE MUSCLES	LOS MÚSCULOS
1. el múscul frontal	frontal	el músculo frontal
2. l'orbicular de les parpelles	orbicular of eye	el orbicular de los párpados
3. el masseter	masseter	el masetero
4. l'esternoclidomastoïdal	sternocleidomastoid	el esternocleidomastoideo
5. el trapezi	trapezius	el trapecio
6. el deltoide	deltoid	el deltoides
7. el pectoral major	greater pectoral	el pectoral mayor
8. el bíceps braquial	biceps of arm	el bíceps braquial
9. el múscul braquial anterior	brachial muscle	el músculo braquial anterior
10. el pronador rodó	round pronator	el pronador redondo
11. el palmar major	long palmar	el palmar mayor
12. el palmar menor	short palmar	el palmar menor
13. el cubital anterior	ulnar flexor of wrist	el cubital anterior
14. l'oblic extern	external oblique	el oblicuo externo
15. el recte abdominal	adominal rectum	el recto abdominal
16. el supinador llarg	brachioradialis	el supinador largo
17. el tensor de la fàscia lata	tensor of fascia lata	el tensor de la fascia lata
18. l'adductor major	long adductor	el aductor mayor
19. el sartori	sartorius	el sartorio
20. el quàdriceps	quadriceps	el cuádriceps
21. el vast intern	medial great	el vasto interno
22. el vast extern	lateral great	el vasto externo
23. els músculs bessons	gastrocnemius	los músculos gemelos
24. el peroneal lateral llarg	long peroneal	el peroneo lateral largo
25. el tibial anterior	anterior tibial	el tibial anterior
26. el soli	soleus	el sóleo
27. l'extensor llarg dels dits	long extensor of toes	el extensor largo de los dedos
28. l'extensor curt dels dits	short extensor of toes	el extensor corto de los dedos
29. els interossis plantars	plantar interosseous	los interóseos plantares

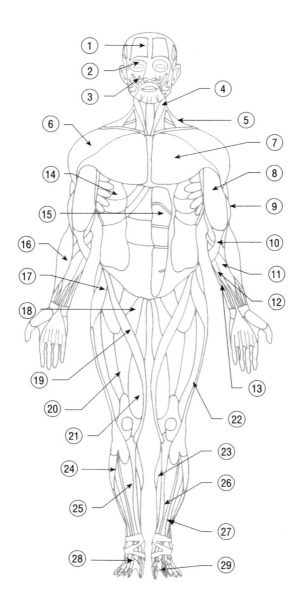

6.
ELS MÚSCULS

ELS MÚSCULS	THE MUSCLES	LOS MÚSCULOS
1. l'occipital	occipital	el occipital
2. el múscul complex major	complexus	el músculo complejo mayor
3. el múscul espleni	splenius muscle of head	el esplenio de la cabeza
4. el trapezi	trapezius	el trapecio
5. l'infraespinós	infraespinatus	el infraespinoso
6. el rodó major	smaller round	el redondo menor
7. el rodó menor	larger round	el redondo mayor
8. el dorsal major	broadest of back	el dorsal mayor
9. el tríceps braquial	triceps of arm	el tríceps braquial
10. el supinador llarg	brachioradialis	el supinador largo
11. l'extensor llarg del canell	long radial extensor of wrist	el extensor radial largo de la muñeca
12. l'anconal	anconeous	el ancóneo
13. l'extensor curt del canell	short radial extensor of wrist	el extensor radial corto de la muñeca
14. el cubital anterior	ulnar flexor of wrist	el cubital anterior
15. l'extensor comú dels dits	common extensor of fingers	el extensor común de los dedos
16. el cubital posterior	ulnar extensor wrist	el cubital posterior
17. l'oblic extern	external oblique	el oblicuo externo
18. el gluti major	greatest gluteal	el glúteo mayor
19. el vast lateral	lateral great	el vasto lateral
20. l'adductor major	great adductor	el aductor mayor
21. el semitendinós	semitendinous	el semitendinoso
22. el bíceps crural	biceps of thigh	el bíceps crural
23. el semimembranós	semimembranous	el semimembranoso
24. el múscul recte intern	slender	el músculo recto interno
25. el plantar	plantar	el plantar
26. els músculs bessons	gastrocnemius	los músculos gemelos
27. el peroneal lateral curt	short peroneal	el peroneo lateral corto

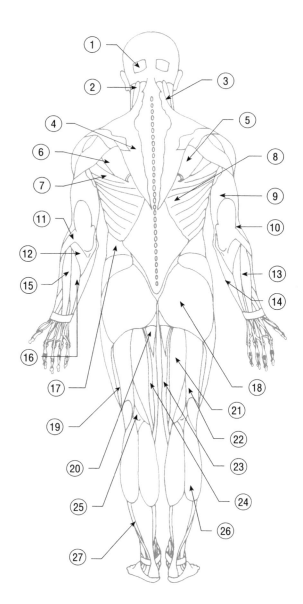

7.

L'ESQUELET	SKELETON	EL ESQUELETO
1. l'os frontal	frontal bone	el hueso frontal
2. l'os temporal	temporal bone	el hueso temporal
3. l'os zigomàtic	zygomatic bone	el hueso cigomático
4. el maxil·lar	maxilla	el maxilar superior
5. la mandíbula	mandible	la mandíbula
6. la clavícula	clavicle, collar bone	la clavícula
7. l'escàpula, l'omòplat	scapula	la escápula, el omóplato
8. les costelles	ribs	las costillas
9. l'estern	sternum	el esternón
10. costella flotant	floating rib	costilla flotante
11. l'húmer	humerus	el húmero
12. el cúbit	ulna	el cúbito
13. el radi	radius	el radio
14. el carp	carpus	el carpo
15. el metacarp	metacarpus	el metacarpo
16. la columna vertebral	vertebral column	la columna vertebral
17. l'os ilíac	ilium	el hueso ilíaco
18. el sacre	sacrum	el sacro
19. el còccix	coccyx	el cóccix
20. el fèmur	femur	el fémur
21. la ròtula	patella	la rótula
22. la tíbia	tibia	la tibia
23. el peroné	fibula	el peroné
24. el tars	tarsus	el tarso
25. el metatars	metatarsus	el metatarso
26. la falange proximal	proximal phalanx	la falange proximal
la primera falange		la primera falange
27. la falange mitjana	middle phalanx	la falange media
la segona falange		la segunda falange
28. la falange distal	distal phalanx	la falange distal
la tercera falange		la tercera falange

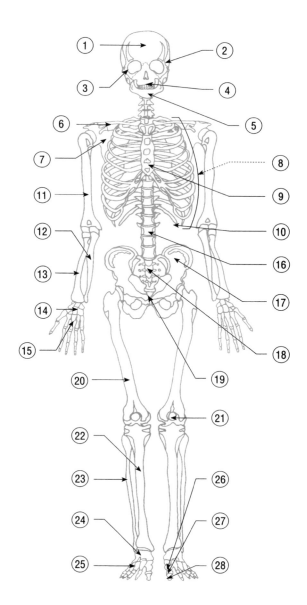

7.

L'ESQUELET	SKELETON	EL ESQUELETO
1. l'os parietal	parietal bone	el hueso parietal
2. l'os occipital	occipital bone	el hueso occipital
3. la vèrtebra atles	atlas	la vértebra atlas
4. la vèrtebra axis	axis	la vértebra axis
5. les vèrtebres cervicals	cervical vertebrae	las vértebras cervicales
6. l'acromi	acromion	el acromion
7. l'apòfisi espinosa de l'escàpula	spine of scapula	la apófisis espinosa de la escápula
8. l'escàpula	scapula	la escápula
9. el cap de l'húmer	head of humerus	la cabeza del húmero
10. les vèrtebres toràciques	thoracic vertebrae	las vértebras torácicas
11. les costelles falses	false ribs	las costillas falsas
12. l'epicòndil	epicondyle	el epicóndilo
13. l'olècran	olecranon	el olécranon
14. l'epitròclea	epitrochlea	la epitróclea
15. la falange	proximal phalanx	la primera falange
16. la falangina	middle phalanx	la segunda falange
17. la falangeta	distal phalanx	la tercera falange
18. les vèrtebres lumbars	lumbar vertebrae	las vértebras lumbares
19. el sacre	sacrum	el sacro
20. el trocànter major	greater trochanter	el trocánter mayor
21. el coll del fèmur	neck of femur	el cuello del fémur
22. el cap del fèmur	head of femur	la cabeza del fémur
23. l'isqui	ischium	el isquion
24. el còndil extern del fèmur	lateral condyle of femur	el cóndilo externo del fémur
25. el còndil intern del fèmur	medial condyle of femur	el cóndilo interno del fémur
26. l'astràgal	talus	el astrágalo
27. el calcani	calcaneus	el calcáneo

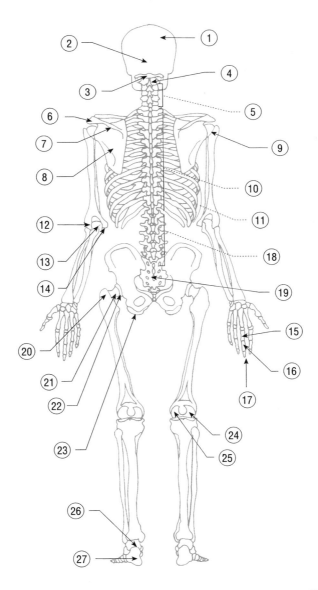

8.

LA CIRCULACIÓ SANGUÍNIA	BLOOD CIRCULATION	LA CIRCULACIÓN SANGUÍNEA
1. la vena jugular interna	internal jugular vein	la vena yugular interna
2. l'artèria caròtida primitiva	common carotid artery	la arteria carótida primitiva
3. la vena jugular externa	external jugular vein	la vena yugular externa
4. l'artèria subclàvia	subclavian artery	la arteria subclavia
5. la vena subclàvia	subclavian vein	la vena subclavia
6. la vena cava superior	superior cava vein	la vena cava superior
7. la vena axil·lar	axillary vein	la vena axilar
8. l'artèria axil·lar	axillary artery	la arteria axilar
9. l'artèria braquial	brachial artery	la arteria braquial
10. la vena cefàlica	cephalic vein	la vena cefálica
11. la vena basílica	basilic vein	la vena basílica
12. la crossa aòrtica	aortic arch	el cayado aórtico
13. la vena pulmonar	pulmonary vein	la vena pulmonar
14. l'artèria pulmonar	pulmonary artery	la arteria pulmonar
15. la vena porta	portal vein	la vena porta
16. la vena cava inferior	inferior cava vein	la vena cava inferior
17. la vena renal	renal vein	la vena renal
18. l'artèria renal	renal artery	la arteria renal
19. la vena mesentèrica superior	superior mesenteric vein	la vena mesentérica superior
20. l'artèria mesentèrica superior	superior mesenteric artery	la arteria mesentérica superior
21. l'artèria ilíaca primitiva	common iliac artery	la arteria ilíaca primitiva
22. l'artèria femoral	femoral artery	la arteria femoral
23. la vena femoral	femoral vein	la vena femoral
24. l'artèria tibial anterior	anterior tibial artery	la arteria tibial anterior
25. l'aorta abdominal	abdominal aorta	la aorta abdominal
26. l'artèria ilíaca interna	internal iliac artery	la arteria ilíaca interna
27. la vena safena interna	great saphenous vein	la vena safena interna
28. l'artèria dorsal del peu	dorsal artery of foot	la arteria dorsal del pie
29. l'arc arterial del peu	arch of foot artery	el arco arterial del pie

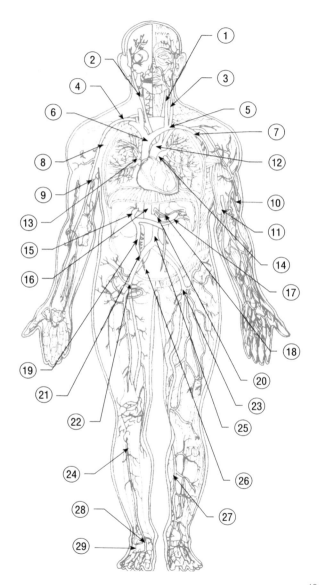

8.

LA CIRCULACIÓ SANGUÍNIA	BLOOD CIRCULATION	LA CIRCULACIÓN SANGUÍNEA
1. el cap	head	la cabeza
2. la vena cava superior	superior vena cava	la vena cava superior
3. l'aorta ascendent	ascending aorta	la aorta ascendente
4. la crossa aòrtica	aortic arch	el cayado aórtico
5. l'aorta descendent	descending aorta	la aorta descendente
6. l'extremitat superior	pectoral limb	la extremidad superior
7. el pulmó dret	right lung	el pulmón derecho
8. el pulmó esquerre	left lung	el pulmón izquierdo
9. l'aurícula dreta	right atrium	la aurícula derecha
10. l'aurícula esquerra	left atrium	la aurícula izquierda
11. el ventricle dret	right ventricle	el ventrículo derecho
12. el ventricle esquerre	left ventricle	el ventrículo izquierdo
13. la vena hepàtica	hepatic vein	la vena hepática
14. el fetge	liver	el hígado
15. el tronc celíac	celiac trunk	el tronco celíaco
16. la melsa	spleen	el bazo
17. la vena porta	portal vein	la vena porta
18. l'estómac	stomach	el estómago
19. l'intestí	intestine	el intestino
20. la vena cava inferior	inferior vena cava	la vena cava inferior
21. el ronyó	kidney	el riñón
22. la vena ilíaca interna	internal iliac vein	la vena ilíaca interna
23. l'artèria ilíaca interna	internal iliac artery	la arteria ilíaca interna
24. el membre inferior	pelvic limb	el miembro inferior

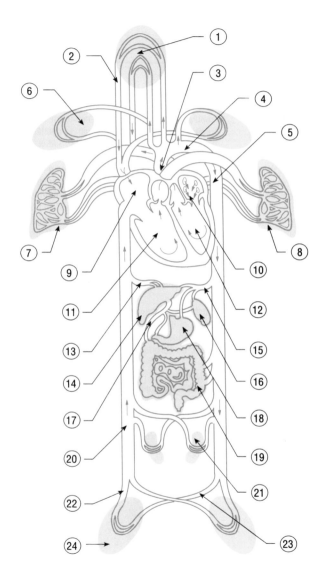

9.

EL SISTEMA NERVIÓS	THE NERVOUS SYSTEM	EL SISTEMA NERVIOSO
1. els nervis cranials	cranial nerves	los nervios craneales
2. el plexe braquial	brachial plexus	el plexo braquial
3. el nervi axil·lar	axillary nerve	el nervio axilar
4. el nervi medià	median nerve	el nervio mediano
5. el nervi cubital	ulnar nerve	el nervio cubital
6. el nervi radial	radial nerve	el nervio radial
7. el nervi intercostal	intercostal nerve	el nervio intercostal
8. el nervi digital	digital nerve	el nervio digital
9. el plexe lumbar	lumbar plexus	el plexo lumbar
10. el nervi obturador	obturator nerve	el nervio obturador
11. el nervi iliohipogàstric	iliohypogastric nerve	el nervio iliohipogástrico
12. el nervi ilioinguinal	ilioinguinal nerve	el nervio ilioinguinal
13. el nervi cutani lateral de la cuixa	lateral cutaneous nerve of thigh	el nervio cutáneo lateral del muslo
14. el plexe sacre	sacral plexus	el plexo sacro
15. el nervi femoral	femoral nerve	el nervio femoral
16. el nervi ciàtic	sciatic nerve	el nervio ciático
17. el nervi gluti	gluteal nerve	el nervio glúteo
18. el nervi cutani posterior de la cuixa	posterior cutaneous nerve of thigh	el nervio cutáneo posterior del muslo
19. el nervi safè	saphenous nerve	el nervio safeno
20. el nervi peroneal comú	common peroneal nerve	el nervio peroneal común
21. el nervi tibial	tibial nerve	el nervio tibial
22. el nervi peroneal superficial	superficial peroneal nerve	el nervio peroneal superficial
23. el nervi sural	sural nerve	el nervio sural
24. el nervi peroneal profund	deep peroneal nerve	el nervio peroneal profundo

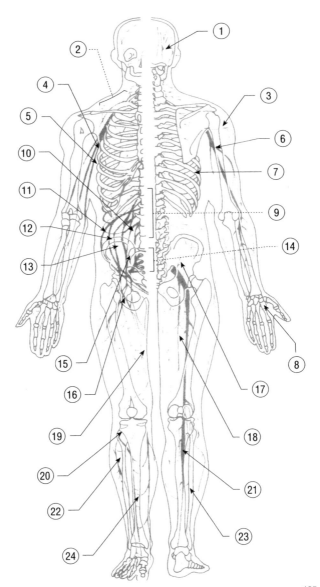

9.

EL SISTEMA NERVIÓS	THE NERVOUS SYSTEM	EL SISTEMA NERVIOSO
1. la hipòfisi	pituitary gland	la hipófisis
2. el quiasma òptic	optic chiasma	el quiasma óptico
3. el septe pel·lúcid	septum pellucidum	el septum pellucidum
4. el cervell	cerebrum	el cerebro
5. el cos del fòrnix	body of fornix	el cuerpo del fórnix
6. el crani	skull	el cráneo
7. el cos callós	corpus callosum	el cuerpo calloso
8. la glàndula pineal	pineal body	la glándula pineal
9. el cerebel	cerebellum	el cerebelo
10. el pont de Varoli	pons varolii	el puente de Varolio
11. el bulb raquidi	medulla oblongata	el bulbo raquídeo
1. la columna vertebral	vertebral column	la columna vertebral
2. la medul·la espinal	spinal cord	la médula espinal
3. el fons de sac dural	spinal dural sac	el fondo de saco dural
4. la duramàter	dura mater	la duramadre
5. el fil terminal	terminal filament	el filum terminale
6. la pell	skin	la piel
7. els receptors sensorials	sense receptor	los receptores sensoriales
8. la neurona sensitiva	sensory neuron	la neurona sensorial
9. la fibra muscular	muscle fiber	la fibra muscular
10. la placa motora terminal	motor endplates	la placa motora terminal

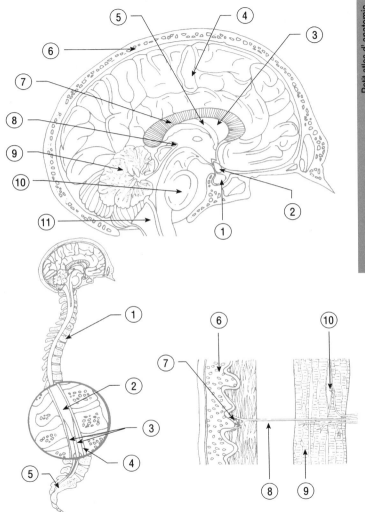

10.

L'APARELL RESPIRATORI	RESPIRATORY SYSTEM	EL APARATO RESPIRATORIO
1. la cavitat nasal	nasal cavity	la cavidad nasal
2. la cavitat oral	oral cavity	la cavidad oral
3. l'epiglotis	epiglotis	la epiglotis
4. la faringe	pharynx	la faringe
5. la laringe	larynx	la laringe
6. les cordes vocals	vocal cord	las cuerdas vocales
7. l'esòfag	esophagus	el esófago
8. la tràquea	trachea	la tráquea
9. el pulmó dret	right lung	el pulmón derecho
10. el pulmó esquerre	left lung	el pulmón izquierdo
11. el lòbul superior	upper lobe	el lóbulo superior
12. l'artèria pulmonar	pulmonary artery	la arteria pulmonar
13. el lòbul superior	upper lobe	el lóbulo superior
14. el bronquíol terminal	terminal bronchiole	el bronquiolo terminal
15. l'aorta	aorta	la aorta
16. el lòbul mitjà	middle lobe	el lóbulo medio
17. el lòbul inferior	lower lobe	el lóbulo inferior
18. la pleura parietal	parietal pleura	la pleura parietal
19. la cavitat pleural	pleural cavity	la cavidad pleural
20. el lòbul inferior	lower lobe	el lóbulo inferior
21. el bronqui dret	right bronchus	el bronquio derecho
22. el diafragma	diaphragm	el diafragma
23. el cor	heart	el corazón
24. la vena cava superior	superior vena cava	la vena cava superior
25. el pericardi	pericardium	el pericardio

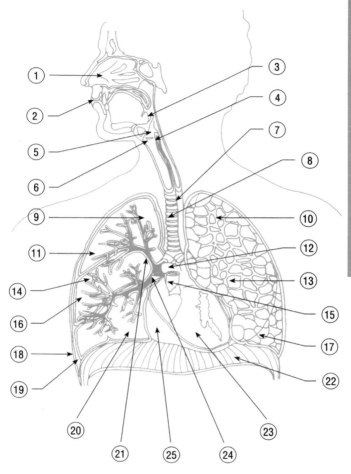

11.
**L'APARELL
DIGESTIU**

**DIGESTIVE
SYSTEM**

**EL APARATO
DIGESTIVO**

1. la cavitat oral	oral cavity	la cavidad oral
2. la llengua	tongue	la lengua
3. les glàndules salivals	salivary glands	las glándulas salivales
4. la faringe	pharynx	la faringe
5. l'esòfag	esophagus	el esófago
6. el fetge	liver	el hígado
7. la vesícula biliar	gall bladder	la vesícula biliar
8. l'estómac	stomach	el estómago
9. el pàncrees	pancreas	el páncreas
10. l'intestí prim	small intestine	el intestino delgado
11. el duodè	duodenum	el duodeno
12. el jejú	jejunum	el yeyuno
13. l'ili	ileum	el íleon
14. l'intestí gros	large intestine	el intestino grueso
15. el còlon transvers	transverse colon	el colon transverso
16. el còlon descendent	descending colon	el colon descendente
17. el còlon ascendent	ascending colon	el colon ascendente
18. el cec	cecum	el ciego
19. l'apèndix vermiforme	vermiform appendix	el apéndice vermiforme
20. el còlon sigmoide	sigmoid colon	el colon sigmoide
21. el recte	rectum	el recto
22. l'esfínter anal	sphincter muscle of the anus	el esfínter anal
23. l'anus	anus	el ano

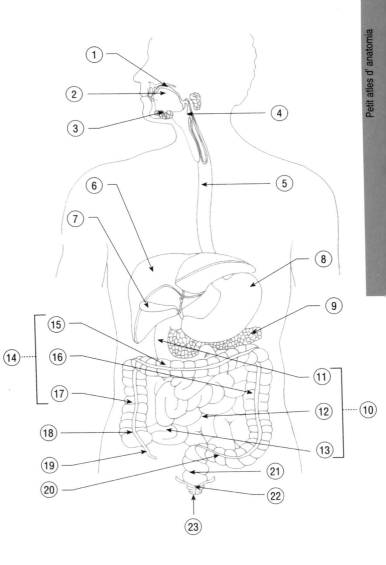

12.
EL COR   THE HEART   EL CORAZÓN

	EL COR	THE HEART	EL CORAZÓN
1.	la vena pulmonar dreta	right pulmonary vein	la vena pulmonar derecha
2.	la vena cava superior	superior cava vein	la vena cava superior
3.	la crossa aòrtica	aortic arch	el cayado de la aorta
4.	l'aurícula dreta	right atrium	la aurícula derecha
5.	l'artèria pulmonar	pulmonary trunk	la arteria pulmonar
6.	la vàlvula pulmonar	pulmonary valve	la válvula pulmonar
7.	l'aurícula esquerra	left atrium	la aurícula izquierda
8.	la vena pulmonar esquerra	left pulmonary vein	la vena pulmonar izquierda
9.	la vàlvula aòrtica	aortic valve	la válvula aórtica
10.	la vàlvula mitral	mitral valve	la válvula mitral
11.	el ventricle esquerre	left ventricle	el ventrículo izquierdo
12.	el septe interventricular	ventricular septum	el septo interventricular
13.	els músculs papil·lars	papillary muscles	los músculos papilares
14.	el ventricle dret	right ventricle	el ventrículo derecho
15.	l'aorta	aorta	la aorta
16.	la vàlvula tricúspide	tricuspid valve	la válvula tricúspide
17.	la vena cava inferior	inferior vena cava	la vena cava inferior

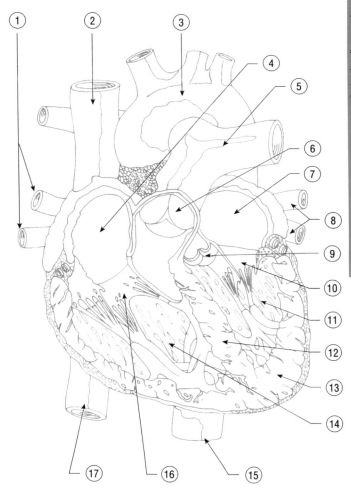

13.

L'APARELL URINARI	THE URINARY SYSTEM	EL APARATO URINARIO
1. el tronc celíac	celiac trunk	el tronco celíaco
2. la vena cava inferior	inferior cava vein	la vena cava inferior
3. la glàndula suprarenal	suprarenal gland	la glándula suprarrenal
4. el ronyó esquerre	left kidney	el riñón izquierdo
5. l'hil renal	hileus of kidney	el hilio renal
6. el ronyó dret	right kidney	el riñón derecho
7. el còrtex renal	renal cortex	la corteza renal
8. la medul·la renal	marrow of the kidney	la médula renal
9. la papil·la renal	renal papilla	la papila renal
10. el calze	calyx	el cáliz
11. la pelvis renal	renal pelvis	la pelvis renal
12. la vena renal	renal vein	la vena renal
13. l'artèria renal	renal artery	la arteria renal
14. l'aorta abdominal	abdominal aorta	la aorta abdominal
15. l'artèria mesentèrica superior	superior mesenteric artery	la arteria mesentérica superior
16. l'artèria mesentèrica inferior	inferior mesenteric artery	la arteria mesentérica inferior
17. l'urèter	ureter	el uréter
18. l'artèria ilíaca primitiva	common iliac artery	la arteria ilíaca primitiva
19. la vena ilíaca primitiva	common iliac vein	la vena ilíaca primitiva
20. l'artèria ilíaca interna	internal iliac artery	la arteria ilíaca interna
21. la bufeta de l'orina	urinary bladder	la vejiga urinaria
22. la uretra	urethra	la uretra

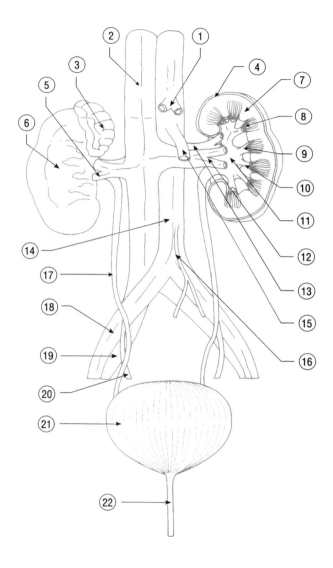

14.

L'APARELL GENITAL MASCULÍ	MALE GENITAL ORGANS	EL APARATO GENITAL MASCULINO
1. la símfisi públca	symphysis pubis	la sínfisis púbica
2. la pròstata	prostate	la próstata
3. la bufeta de l'orina	urinary bladder	la vejiga urinaria
4. la cavitat abdominal	abdominal cavity	la cavidad abdominal
5. el peritoneu	peritoneum	el peritoneo
6. el conducte deferent	deferent duct	el conducto deferente
7. la vesícula seminal	seminal vesicle	la vesícula seminal
8. el recte	rectum	el recto
9. el conducte ejaculador	ejaculatory duct	el conducto eyaculador
10. l'anus	anus	el ano
11. la natja	buttock	la nalga
12. la glàndula de Cowper	Cowper's gland	la glándula de Cowper
13. el múscul bulbocavernós	bulbocavernous muscle	el músculo bulbocavernoso
14. la cuixa	thigh	el muslo
15. el cordó espermàtic	spermatic cord	el cordón espermático
16. el testicle	testicle	el testículo
17. l'escrot	scrotum	el escroto
18. el meat urinari	urinary meatus	el meato urinario
19. el prepuci	prepuce	el prepucio
20. el gland	gland	el glande
21. el penis	penis	el pene
22. la uretra	urethra	la uretra
23. els cossos cavernosos	cavernous bodies	los cuerpos cavernosos

L'espermatozoide	The spermatozon	El espermatozoide
1. el cap	head	la cabeza
2. el coll	neck	el cuello
3. el segment intermedi	middle piece	el segmento intermedio
4. la cua	tail	la cola
5. el segment terminal	end piece	el segmento terminal

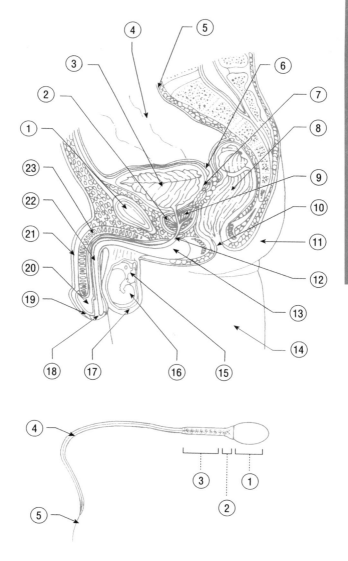

15.

L'APARELL GENITAL FEMENÍ	FEMALE GENITAL ORGANS	EL APARATO GENITAL FEMENINO
1. el pavelló de la trompa de Fal·lopi, uterina	infundibulum of fallopian, uterine tube	el pabellón de la trompa de Falopio, uterina
2. l'ampul·la de la trompa de Fal·lopi, uterina	ampulla of fallopian, uterine tube	la ampolla de la trompa de Falopio, uterina
3. l'istme de la trompa de Fal·lopi, uterina	isthmus of fallopian, uterine tube	el istmo de la trompa de Falopio, uterina
4. l'ovari	ovary	el ovario
5. l'úter	uterus	el útero
6. la uretra	urethra	la uretra
7. el lligament ample de l'úter	broad ligament of uterus	el ligamento ancho del útero
8. el lligament rodó de l'úter	round ligament of uterus	el ligamento redondo del útero
9. la vagina	vagina	la vagina
10. els llavis menors	small pudendal lips	los labios menores
11. els llavis majors	large pudendal lips	los labios mayores

La mamella	The breast	La mama
1. el mugró	nipple	el pezón
2. l'arèola	areola	la aréola
3. el conducte mamari	mammary duct	el conducto mamario
4. la glàndula mamària	mammary gland	la glándula mamaria
5. el teixit adipós	adipose tissue	el tejido adiposo
6. la costella	rib	la costilla

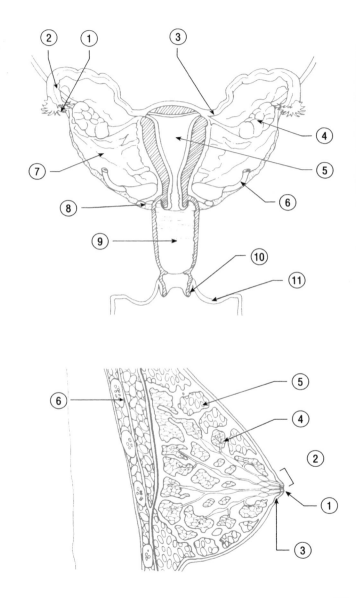